安徒生童话

责任编辑：刘莉萍

好孩子书屋

喀什维吾尔文出版社

(喀什市塔吾古孜路 14 号)

湖北咸宁市三元印刷公司印刷

开本：880×1230　1/32　印张：52　字数：188 千字

2005 年 1 月第 1 版　2005 年 1 月第 1 次印刷

印数：1—10000 册

ISBN7-5373-1213-3

定价：8.00 元

目录

最新版

野天鹅

每当冬天即将来临的时候，燕子就会成群结队地飞往遥远的南方。那里有一个国家，统治者是国王。国王有十一个儿子和一个女儿，女儿名叫艾丽莎。

十一个兄弟都是高贵的王子。他们的胸前佩戴着星形徽章，身边挂着宝剑，他们在学校时用钻石笔在金板上写字，他们读书的声音琅琅动听。妹妹艾丽莎年龄最小，她坐在一个玻璃镜做成的小凳上，她的手里拿着一本昂贵的画册，那需要花半个王国的代价才能买得到。

这些孩子的生活十分幸福。然而，好景不

长，幸福难以永远持久。

他们的母后去世不久，国王又娶了一位新的王后。这位王后又邪恶又狠毒，十分讨厌这些孩子。就在国王结婚的那一天，孩子们就感觉出来了。当时王宫里举行盛大的庆祝活动，孩子们想要些点心和烤苹果，玩招待客人的游戏。这个要求一点也不过分，太平常了，然而新王后只肯给他们一杯沙子，还说可以把沙子当作好吃的东西。

一星期以后，小妹妹艾丽莎就被送到了乡下，寄养在一个农民的家里。跟着，王后又编造了许多谎话，在国王面前把王子们说得一无是处。这样，国王也不愿意关心他们了。

“滚吧，滚到野外去，你们自己去想办法生活！”恶毒的王后诅咒他们，“我要把你们变成一群不会说话的鸟。”然而，王后的法力毕竟有限，十一位王子变成了十一只美丽的野天鹅，随着“噢——噢——”的哀号声，他们飞出了王宫，飞过了公园，一直朝森林飞去了。

当他们飞过农民的小屋时，东方刚刚泛出灰白色，小妹妹艾丽莎还在简陋的小床上睡觉。他们在屋顶上盘旋，还不断扑扇着翅膀，但是没有人注意到他们。他们只好恋恋不舍地飞走了，飞向了高高的云层，飞向了太阳升起的地方，飞进了一座茂密的大森林，那森林连接着大海。

可怜的艾丽莎孤零零地站在农民的房子里玩耍，她没有什么玩具，手中只有一片绿树叶，她在叶子上穿了一个小洞，透过小洞去看太阳，就好像看到了哥哥们一只只明亮的眼睛；

温暖的阳光照在她的脸上,她就想起哥哥们给她的亲吻。

日子就这样一天天地过去了。树叶黄了又绿,绿了又黄,花儿开了又谢,谢了又开。当风轻拂着屋外的一大片玫瑰树叶,风总是轻轻地夸赞:“还有谁比你们更美丽呢?”但玫瑰花却摇摇头,谦虚地说:“艾丽莎更美!”当老太太坐在门口,沐浴着冬日的阳光诵读赞美诗时,风总是吹起书面,对它悄悄地说:“有谁比你们更圣洁呢?”而书却真诚地说:“艾丽莎更圣洁!”

艾丽莎十五岁了,国王召她回宫。王后看见她出落得这样美丽,心里忌妒得要死。她想把艾丽莎也变成一只野天鹅,和她的哥哥们一样,但她不敢马上就施展法术,因为国王要见见自己的女儿。

第二天清晨，艾丽莎还没有醒来，恶毒的王后就来到了浴室。

那浴室是用大理石砌成的，里面铺着美丽的地毯和柔软的坐垫。王后带来了三只丑陋的癞蛤蟆。她吻了吻它们的头，然后对第一只癞蛤蟆说："当艾丽莎一走进浴池，你就跳到她的头上，让她变得和你一样又蠢又笨。"然后，她又对第二个癞蛤蟆说："当她坐在水里时，你就蹲在她的前额上，让她变得像你一样丑陋。"最后，她抚摩着第三只癞蛤蟆，对它说："当她躺下时，你就跳在她的胸口上，好让她的心里充满恶毒的念头，痛苦一生。"

说完，王后就把三只癞蛤蟆放进水里，那浴池里的水立刻变绿了。跟着，王后又把艾丽莎叫来，脱掉她的衣服，让她下去洗澡。

艾丽莎刚刚走进浴池，还来不及躺下，三只

癞蛤蟆就接连跳在了她的身上，一只趴在头发上，一只蹲在额头上，还有一只跳在她洁白的胸脯上。可是艾丽莎并不在意，当她洗完澡，站起身来的时候，癞蛤蟆不见了，水面上却漂浮着三朵红色的罂粟花。要不是这些癞蛤蟆被巫婆一样的王后吻过，中了她的毒，它们就会脱胎换骨，变成三朵美丽的红玫瑰呢，因为它们在艾丽莎头上、前额上、胸口上停留过。艾丽莎太圣洁、太纯真了，邪恶的巫术对她毫无作用。

恶毒的王后一计不成又生一计，她拿来橄榄油擦遍她的身体，让她的皮肤变成了棕黑色，又找来了一种气味难闻的药膏，涂满了艾丽莎的面孔。她还在艾丽莎的头发里撒上灰尘和木屑，搓揉的乱糟糟的，现在的艾丽莎，除了农民家里的狗和屋顶上的燕子，谁也认不出她来

了。

王后把表面肮脏邋遢的艾丽莎推到国王面前，国王大吃一惊，说这不是他的女儿。

可怜的艾丽莎被赶出了王宫。她哭了起来，王后的狠毒、父王的冷酷使她无比伤心，她更加想念她的十一位哥哥了。

她在荒野上整整走了一天，走进了一个森林。她其实并不知道她要到什么地方去，她只是感到非常悲哀、非常孤独，走投无路，能和哥哥们在一起多好啊！艾丽莎想，但哥哥们到哪里去了呢，一定和自己一样，被赶出了王宫。

夜幕降临了，艾丽莎迷路了，而且前面也已经无路可走了。她挑选了一棵大树，就倚着大

树坐下来睡觉。周围是那样宁静，只有萤火虫围绕着她飞来飞去，像是一颗颗坠落的小星星。

她做梦了，梦见了她的哥哥，梦到了她欢乐的童年。在梦中她和哥哥们都还是孩子，他们在一起做游戏，一起拿着钻石笔在金板上面写字。不过，他们写的不是简单的字母和算术题，而是真实的故事——他们亲自经历过的事情。他们一齐看她的美丽画册，画册上的鸟儿和花朵仿佛都有了生命，鸟儿在歌唱，花朵吐着芬芳……但是，只要她翻过书面，那些鸟儿呀、小动物呀马上各归其位，一点也不会把画面搞乱……

当她醒来的时候，太阳已经升得很高了，透过高大浓密的树枝，撒下道道金线和斑斑点点的金光。空气中是绿叶的清香，小鸟儿轻盈地跳来跳去，有的还乖巧地落在了她的肩上。

她听到了潺潺的流水声，顺着水声找去，她发现了几个泉眼，泉眼下是一个美丽的小水潭。潭里的水是那样的晶莹清澈，就连潭底的沙砾也清晰可见。

水潭的周围是茂密的灌木丛，在对着泉眼的一侧有个缺口，那是前来喝水的小鹿践踏出来的，艾丽莎也是顺着这个缺口走近水潭的。

风儿很轻，水面明亮如镜，树木的枝叶倒映在水里，清晰、逼真，简直就像是画在水面上一样。

艾丽莎想照照自己的面孔，一看立即吓了一大跳：它是那样的污黑、丑陋。她用双手掬起水，清洗自己的眼睛和前额，洁白的皮肤又显露了出来。哦，她是那样的圣洁和光彩，世界上再也找不到比她美丽的公主了。

沐浴之后，她重新穿好衣服，编好发辫，便

走到泉水边，用手捧着喝了几口水，然后，就茫然地向森林深处走去。她想念哥哥们，她不知道自己该去哪里，但她相信上帝仁慈，决不会抛弃她。

眼前出现了一棵苹果树，红红的果实压弯了树枝，她很轻易地就可以采摘。美美吃了一餐苹果，她十分满意，找了几根棍子支撑起苹果繁茂的树枝后，她又继续向前走去。

森林幽深而寂静，她只能听见自己“沙、沙”的脚步声。森林又是那样的茂密，密得不见一只鸟儿飞，不见一缕阳光照射下来，只有高大的树干密密麻麻的似栅栏，一株挨着一株，一排又一排，把她团团围在中央，她感到从未有过的凄凉和孤独。

夜，黑漆漆的，连一丝萤火虫的光亮都没有。她选了一棵粗大倾斜的树干躺了上去，心情沉重地注视着天空。天上的树枝似乎分开了一些，上帝温柔地注视着她，小天使也在上帝的手臂和袍子下面张望着。

早晨，当她醒来的时候，记不清是她在做梦，还是真的看到了上帝和天使。

她又漫无目的地向前走去，碰到了一个提着一篮浆果的老奶奶。艾丽莎很有礼貌地问她有没有看见十一位王子经过。

老太太说她没有见到王子，却看见十一只头戴王宫皇冠的野天鹅，在离这儿不远的小河里游水。

老奶奶愿意替可爱的艾丽莎引路，于是把她带到了一个陡坡上，坡下就是一条小河。小河两岸长满了参天大树，大树的枝叶都努力地向对岸伸展过去，互相交织在一起，就像是一个绿色的长廊。

老奶奶留了些浆果给艾丽莎吃，就走了。

艾丽莎顺着河流一直往下游走，走到了开阔的入海口。

现在展现在艾丽莎面前的，是一个真正的大海，但海上不要说有大帆船，就连一条小船也没有。海滩上是数不清的鹅卵石，被海水冲刷得无比光滑。

因为海水永不疲倦地冲击拍打，所以坚硬的石头才会被磨得如此平滑，我也应该有海水的坚韧意志，不管有多难，总有一天我会找到我亲爱的哥哥。柔弱的艾丽莎暗暗下定了决心。

潮水把海藻冲上岸来，细心的艾丽莎发现里面有十一根野天鹅的白羽毛，就小心地拣起来，羽毛上滚动着水珠，真不知是海水、露水，

还是眼泪。

海岸上空无一人，可艾丽莎并没有觉得孤单，因为大海的形象和色彩是丰富的，它无时无刻不在起着变化。

当一片乌云在大海上空飘过时，海水变得阴沉沉的，风猛烈地刮起来，海面就翻滚起一片白花；当晚霞染红了天边的时候，大海变成了一片玫瑰红色，有时又是金色的、白色的，海面轻轻地起伏晃动，就像是熟睡着的人们的胸膛。

当太阳快要落下海平面的时候，艾丽莎看见十一只白天鹅向海岸飞过来了。她生怕惊吓了他们，于是爬上陡坡，躲在一丛灌木后面。

白天鹅一只只降落下来，扑扇着翅膀，梳理着羽毛。当太阳没入大海的时候，天鹅不见了，站在海岸上的是十一位漂亮的王子。

艾丽莎发出一声惊叫，尽管哥哥已经由少年变成了英俊的青年，可她还是认出了他们。艾丽莎扑到哥哥们的面前，一一呼喊着他们的名字。哥哥们也认出了已经出落成少女的妹妹，他们拥抱着她，高兴得又唱又跳。他们终于明白了，邪恶的王后是永远也不会解除她的魔咒，永远也不会让他们返回王宫去的。

最大的哥哥说："只要太阳挂在天上，我们就得变成野天鹅，不停地飞。太阳落山了，我们才能变回人形。所以每当太阳快要沉下去的时候，我们都必须赶快找个落脚的地方，否则在空中变为人形，就可能栽入大海。"

"我们在大海的对面安了家，那里同样美

丽，但路途却十分遥远。中途连一个小岛也没有，只有一块礁石可以落脚。不过，为了这块礁石，我们要真诚地感谢上帝，没有他，我们就不能返回到大海的这边，来探望养育了我们的故乡了！”

“我们飞行一趟需要花费两天时间，因此，我们往往挑选昼长夜短的夏天飞回来。我们一年之中只返回来一次，在这里停留十一天再飞回去。白天，我们在天空盘旋，看望父亲的王国和宫殿，看望大教堂和埋葬母亲的地方。一切都像我们小时候一样，马儿在草原上奔跑，烧炭人还唱着古老的歌谣，这里毕竟是我们的祖国，有一种神奇的力量吸引着我们，使我们克服千难万险，非要回来看看不可。现在我们又找到了你，我们惟一的小妹妹。但是再过两天我们就要飞回去了，我们既没有大船，也没

有小舟，有什么办法才能把你带过去呢？”

“有什么办法可以解救你们呢？”艾丽莎最关心的是恢复哥哥们的身体和自由。

他们谈了差不多整整一夜话，快天亮时，艾丽莎睡着了。“扑棱棱”一阵拍打翅膀的声音惊醒了她，哥哥们又变成了野天鹅，盘旋在天空，然后，向着远方飞走了。一只天鹅掉队了，那是艾丽莎最小的哥哥。他返回到艾丽莎身边，把头埋在她的怀抱里。艾丽莎轻轻抚摩着他白色的翅膀，用手指梳理着他缎子一样的羽毛，一整天他们都紧紧依偎在一起。傍晚时分，野天鹅们都飞回来了，太阳落下之后，他们又恢复了人形。

“明天我们就要飞回大海彼岸我们的新家去了，”最大的哥哥说，“这一去要整整一年才能返回来，我们怎能放心把你一个人留下？既然以前我的手臂有力量把你抱着穿过森林，那么，我们所有的翅膀难道不能把你带过海洋？艾丽莎，你愿意跟我们去吗？你有跨越大海的勇气吗？”

“我愿意。”艾丽莎毫不犹豫地说。

他们采集了柔软的柳枝和坚韧的芦苇，忙了整整一个晚上，直到黎明时分，才编织好一张又大又结实的网。艾丽莎躺在网上，困倦得马上就睡着了。当太阳升起时，十一位哥哥又变成了野天鹅，他们用嘴衔起这个网，带着依然熟睡的小妹妹，向着高高的云层飞去。穿过云层，热辣辣的太阳照射到艾丽莎的脸上，这时，有一只天鹅飞在上空，用宽阔的翅膀为她遮挡阳光。

当艾丽莎醒来时，他们已经飞离陆地很远了。头一次被托在高高的天空，白云在身下流

动，艾丽莎感到像是在做梦。她的身边有一些熟浆果和甜草根，这是最小的哥哥为她准备的。此刻，他正飞在她的上空，用翅膀为她遮挡阳光。艾丽莎认出了他，满怀感激地向他微笑着。

野天鹅们飞得那么高、那么快，整整一天就像离弦的箭一样飞越大海。当然，如果不是带着艾丽莎，他们的飞行速度可能还要快。海域的天气变化无常，眼看着乌云笼罩，大海黑沉沉的，一场暴风雨就要来临，太阳也似乎快要落下水面了。艾丽莎小心地往下看，大海无边无际，没有小岛，没有礁石。天鹅们正鼓起最大的力量拍动着翅膀，艾丽莎觉得自己成了哥哥们的累赘，如果没有她，天鹅们会飞得更加迅疾。如果太阳沉入了海底，如果还是看不到任何礁石，变成人形的哥哥们将会掉下海去，这全是因为她的缘故。艾丽莎向上帝祈祷，盼望着礁石早点儿出现。这时，雷声隆隆，电光闪闪，海浪涛天，暴风雨马上就要到了。

昏黄的太阳已经接近了海平面，艾丽莎紧张得全身颤抖。突然，天鹅们俯身向下，迅疾地穿过云层，快速平滑地向下跌落。

太阳已经沉没了半边脸，艾丽莎终于发现了那块礁石，它看起来比冒出水面的海豹的头大不了多少。太阳在迅速地下沉，只剩最后一道金线了，他们的脚终于踏在了坚硬的礁石上。

艾丽莎站在礁石的中心，她的哥哥们手挽着手围绕在她的周围，他们紧紧依靠着，再也没有多余的空间了。

海浪冲击着这块礁石，闪电划过了漆黑的

夜空，轰隆隆的雷声一阵紧过一阵，他们高声唱起了赞美诗，在暴风雨中坚持着。

清晨，大海变得安静下来，天空也十分晴朗。当太阳探出头的时候，天鹅们带着艾丽莎又出发了。

太阳高高地挂在天上，艾丽莎看到连绵的高山飘浮在半空，山顶还有银光闪闪的积雪。山脚下是一座规模宏大的宫殿，有金色的屋顶和一排排红色的柱子。宫殿前面是大片的树林和草地，盛开的鲜花有水车轮那么大。

艾丽莎觉得这个地方很美，就问天鹅是不是他们居住的地方。天鹅们摇摇头，说她看到的是虚幻的空中宫殿，是永远无法接近的海市蜃楼。

艾丽莎凝视着那华丽的宫殿，突然，高山、宫殿、树林全部消失了，出现在她眼前的，是十几所雄伟的教堂，全都是高高的塔尖，长长的窗子，似乎还有风琴的乐声，其实那不过是大海的呼啸。

天鹅们就要飞近这些教堂了，可是他们突然又变成了帆船。接着，帆船也不见了，海面上笼罩着一层飘浮的雾。海洋无穷无尽的变幻，使艾丽莎惊叹不已。

终于，他们顺利地飞越了大海。现在，艾丽莎已经可以看见哥哥们的新家乡了。这儿也有青翠的山林，有城市和王宫。在太阳还没有下山之前，他们来到了一个大山洞，洞口挂满了开花的藤蔓植物，就像是条花团锦簇的帷幔。最小的哥哥帮助艾丽莎整理好她的卧室，然后祝她晚上做个好梦。

“我希望能梦见怎样才能解除你们身上的魔咒。”艾丽莎说。

解救哥哥们的愿望强烈地在她心中激荡。她向上帝祈祷。她梦见自己飞进了那华丽的空中宫殿,美丽的仙女来迎接她。仙女很年轻,全身放射着光辉,模样却有点像在树林中给她浆果吃并告诉她天鹅的事情的老奶奶。

“你的哥哥们是可以得救的。”仙女说,“但解除禁锢他们的魔咒需要足够的勇气和毅力。海浪十分柔软,但它能把坚硬的石头改变形状,不过它不知疲倦,也没有痛苦的感觉。而你就不同了,你会感到无比的烦恼和痛苦。”

“请看我的手中,这是有刺的荨麻。你睡觉的洞口附近,就有很多这样的植物。但惟有长在教堂墓地的荨麻,才有更大的效力。你要先

采集它们，这很不容易，它们会灼伤你的手，使你的手起泡；你得光着脚踩碎它们的皮，你的脚会因此流出血来。只有这样，你才可以抽出麻来。你把麻搓成麻绳，用麻绳织出十一件长袖衬衫来，把衬衫披在野天鹅的身上，那魔咒就会解除。但是你必须切记一点，从你开始这项工作，直到全部完成，哪怕需要用很长的时间甚至几年，你都不能跟任何人讲话。只要你开口讲话，即使只有一个字，也会像一把锋利的尖刀插进你哥哥的心脏，令他们痛苦万分。你哥哥们的生命全在你的舌头上，别忘了，千万别忘了。”

仙女让她摸了一下荨麻，那感觉就像火烫一样灼人，艾丽莎一下子惊醒了。她的手指依然火辣辣地痛，身边放着一根荨麻。艾丽莎相信她的梦境是上帝的指引，她感谢上帝，感谢

仙女们的帮助。这时，天已经完全亮了，她走出山洞，开始工作了。

山洞附近长了许多丑陋的荨麻，艾丽莎柔嫩的小手一触到它们，像火烧燎得痛。为了解救哥哥，她一次又一次地把手伸向荨麻，采集了一大捆。接着，她又光着脚踩它们，踩去叶子和皮，直到露出柔韧的茎并能抽出一缕缕麻丝来。

太阳落山了，哥哥们回来了，他们围着妹妹问长问短，可艾丽莎沉默着，一句话都不说。哥哥们很震惊，以为邪恶的王后又在妹妹身上施展了什么法术。心里明白后，他们都哭了，他们知道妹妹是在想办法解救他们。最小的哥哥捧着艾丽莎的手，哭得最伤心，他的眼泪落在艾丽莎的手上、胳膊上、脚上，说来十分奇怪，他的眼泪流淌到的部位，艾丽莎就不再感到疼

痛，水泡和红肿也消失了。

她整整一夜都在干活，织啊、织啊，不把哥哥们解救出来，她决心不休息。第二天，她又整整织了一天，到哥哥们快要回来的时候，第一件衬衣已经织完了，她又开始织第二件。

新的一天开始了，艾丽莎正在埋头织衣服，突然山里传来狩猎的号角声，还有猎狗越来越近的狂叫声。艾丽莎慌忙把采集到的荨麻和织好的衬衣捆扎好，搬进山洞里，自己就坐在上面。

山洞前的树丛里蹿出一条大猎狗，紧跟着，又跳出第二条、第三条，它们对着洞口狂叫不已。过了一会儿，猎人们赶到了，其中有一位非常英俊的男子，他就是这个国家的国王。他走进山洞，发现了艾丽莎。他又向艾丽莎走近了几步，上帝啊！他从未见过如此美丽动人的姑娘。

“你为什么会在山洞里，可爱的姑娘？”国王温和地问艾丽莎，可是她不敢回答，只能摇摇头。她把双手藏在背后，把双脚缩回裙子里，她不想让国王看到她受的苦。

“跟我一起走吧！”国王说，“你不能待在山洞里。如果你的心灵和外表一样高贵和美丽，我会让你穿上金丝和天鹅绒的衣裳，我还会让你戴上王后的金冠，让我华贵的宫殿成为你的家。”

艾丽莎哭着直摇头，她无论如何也不能丢下正在进行的工作。

但是国王不顾她的反对，他把她抱上自己的马，不容置疑的说：“我是要给你幸福，总有一天，你会感激我的。”说着，国王也翻身上马，快马扬鞭向山外奔去，其他猎人也都跟随在后面。

当晚霞染红天边的时候，一座雄伟的都城出现在他们跟前。都城里有许多尖顶的教堂，还有金碧辉煌的宫殿。国王把艾丽莎带进了王宫，王宫的装饰既华丽又充满艺术的情调。大理石修筑的大厅里建有喷泉，正在哗哗地喷洒着水柱，大厅的四壁和圆顶上绘有彩色壁画，可艾丽莎根本没有心情去欣赏，她在哭泣，为迫不得已中断了的工作和离开亲爱的哥哥伤心流泪。

宫女们为她梳好发辫，替她换上绣有金线的丝绸长袍，她温顺地服从了。当她盛装出现在大厅时，她的高贵和美丽震惊了所有的人，他们向艾丽莎鞠躬致敬。国王向众人宣布，艾丽莎将成为他的王后，大厅里一片欢呼声。惟有大主教不赞成，他说艾丽莎是个女巫，施展魔法蒙蔽了国王的眼睛。

国王却不信他的话。国王下令奏起音乐，端上来葡萄酒和美味佳肴，还让漂亮的宫女们跳舞助兴。国王牵着艾丽莎的手，带她参观豪华的王宫和花香四溢的御花园，但艾丽莎的双眼充满忧伤，嘴角没有一丝笑意。国王又带她来到了一间外观精致的小屋，那是为她布置的卧室。小屋的四壁和地板铺饰了绿色的地毯，看上去就像是她曾经住过的山洞。地上放着一捆抽好的细麻，还有那件已经织好的荨麻衬衣。这一切都是一位跟随国王打猎的侍卫做的，他担心姑娘会怀念过去的生活，另外也是出于好奇，才把这些东西带进了王宫。为姑娘布置这样一个小卧室，也是他的建议。

“这里就像是你的山洞，你可以梦见自己又

回到了老家。"国王说,"这里还有你以前常干的活儿,也许你还想摸摸它们,回忆过去的时光。"

艾丽莎笑了,她抚摸着那些荨麻,想到解救哥哥又有了希望,她的心中充满了快乐。她十分感激国王的安排,她由衷地亲吻了国王的手。国王拥抱着她,让她贴近自己的胸膛。国王下令让所有的教堂都敲响钟声,向全国宣布他要举行婚礼,这个来自森林的、沉默而美丽的姑娘,将要成为他的王后。

大主教想阻挠这件婚事,他在国王的耳边说了许多有关艾丽莎的坏话,但是国王毫不动摇,婚礼按计划进行。

按照婚礼程序,大主教要亲自为王后加冕。当他不得不把王后的金冠戴在艾丽莎头上时,他故意把帽箍拧得很紧,想弄痛艾丽莎,令她当众出丑。艾丽莎的头被箍得很痛,但比起内

心的痛苦，这简直算不了什么。最痛苦的是，她无法用语言来表达她的感觉和愿望。

国王很爱她，千方百计取悦她，使她快乐。她的眼睛里也流露出对国王深深的爱意，如果不是身负重任，她早就想向国王敞开心扉，倾诉十年来的遭遇。可是她必须保持沉默，在沉默中完成她的神圣使命。

每当夜深人静，国王熟睡之后，艾丽莎就悄悄溜进她的绿色小屋，编织一件又一件的荨麻衬衣，直到第七件时，荨麻用完了。她知道只有教堂墓地的荨麻才能用，她必须亲自去采集，但她怎样才能潜出王宫，到达那里呢？

她前思后想，看来一定得冒冒险了。她希

望上帝能够帮助她。

深夜里，她披上一件黑衣服，带着恐惧悄悄溜出王宫，穿过公园和大街，向阴森森的教堂墓地走去。月光惨淡，她看到一群丑恶的死鬼坐在大墓石上，它们正在分食着新鲜的尸体。艾丽莎从它们身旁经过时，它们绿荧荧的目光死死盯着她。艾丽莎胆战心惊，她一边祷告着上帝一边采集着荨麻，在天亮之前，又悄悄地溜回王宫。

只有一个人看见了她，正是那位大主教。这位主教阴险恶毒，特别喜欢在深夜里四处游荡。他把所看到的情景告诉了国王，他的描述是那样的刻薄、恐怖，就连教堂里的圣像都在摇头，好像说："不是那么回事，艾丽莎是清白无辜的！"

但是大主教不是这样解释，他对国王说，圣

像都在为艾丽莎的罪恶战栗呢！

国王的眼泪流了下来，他无论如何不肯相信大主教讲的话，他带着沉重的心情回到了王宫。当天晚上，他假装睡着了。当艾丽莎悄悄起身的时候，他也跟在了后面。他看到艾丽莎在自己的小屋里踩碎荨麻，抽出细丝，然后没完没了地编织。他每天晚上都悄悄地跟踪她，注视着她，脸色变得越来越阴沉和忧虑。

艾丽莎注意到了国王的变化，但不知道是什么原因。现在，她不仅为哥哥们担忧，也开始为国王担忧。她晶莹的泪水滚落在紫色的天鹅绒长袍上，变成了一颗颗闪亮的钻石。她是如此的雍容华贵，令所有的女人都羡慕她。

艾丽莎尽管为国王担忧，可每天深夜，她还是要悄悄地溜进小屋。荨麻衬衣已经织好了九件多，只差最后一件少一点儿了，可是荨麻用

完了，艾丽莎必须再去一次教堂墓地。

想到独自一人去那种可怕的地方，艾丽莎不禁毛骨悚然，但想到亲爱的哥哥们，她又鼓起了勇气。

当晚深夜，她披上了黑衣服，悄悄地溜出王宫，国王和大主教在后面跟着她。他们看见她走进了教堂墓地的大门，看见她向一群食尸鬼走去——荨麻就长在它们的附近。国王转过身离开了墓地，想到这个每晚都睡在他怀抱里的王后，都和丑恶的食尸鬼在一起，国王的心里充满了失望和厌恶。

“让众人来审判她吧！”国王说。

众人判艾丽莎有罪，并决定用火刑处死她。

艾丽莎被投入了地牢，那里没有床没有被，又阴暗又潮湿。侍卫们把她的荨麻和织好的荨麻衬衣扔给她，除此之外什么也没有。

艾丽莎向上帝祈祷，庆幸她的荨麻没有丢掉。她坐了下来，平静地开始编织最后一件衬衣。外面的大街上人们议论纷纷，顽童们唱着嘲笑她的歌谣，没有一个人来安慰她。

就在太阳快要落山的时候，她听到小小的地牢天窗外有天鹅拍打翅膀的声音，她知道是哥哥们找到了她，她流下了滚滚热泪。这也许是她生命中的最后一个夜晚，但她的愿望即将实现，她亲爱的哥哥们就在附近。

大主教来了，他答应过国王，他将陪伴艾丽莎度过最后的时光。艾丽莎用目光和手势示意他走开，她不希望有人打扰，她必须干完手中的活儿，大主教走开了，临走之前说了许多恶毒的话，但艾丽莎却无法申辩。她低下头，继续织最后一件衬衫，老鼠跑来为她搬运一根根的荨麻，画眉鸟在天窗外婉转地歌唱，鼓舞着

艾丽莎的勇气。

东方露出晨曦的时候，艾丽莎的十一个哥哥来到王宫门前，要求见见国王。但是卫士们不答应，他们说天还早，国王还在睡觉。艾丽莎的哥哥们十分着急，又是乞求又是恐吓，但卫士们就是不答应。他们越吵声音越大，最后把国王吵醒了，太阳也升起来了。十一个兄弟消失了，王宫上空盘旋着十一只野天鹅。

人们拥向城门口，那里是行刑的地方，他们想亲眼看见，女巫被火烧死的情景。一匹老马拉着一辆木板车，艾丽莎穿着粗麻布衣裳坐在板车上。她的头发散乱了，脸蛋苍白，她不停地编织着最后一件衬衣，嘴唇还嚅动着。她是在请求上帝，保佑她完成最后的心愿。

“快看那个女巫，她还在念着咒语！”有人乱喊乱叫，“她手里拿的不是《圣经》，是有巫术

的东西。快把它们拿掉，撕碎它们。”

一些人想要拦劫木板车，把艾丽莎正在织的衬衫撕碎。这时，十一只天鹅飞了下来，落在板车架上，他们愤怒地用力拍动着翅膀，人们惊恐地后退了。

“这是上帝降下的迹象，也许她是无辜的。”一些善良的人们小声地说着。

行刑的地点到了。刽子手要把艾丽莎拖向高高的柴垛，但她挣脱了他的手，抢过十一件荨麻衬衫，把它们一一披在野天鹅的身上，奇迹出现了，人们面前站立着十一位王子，他们正直、高贵、英俊，只有最小的一位还有一只翅膀，那是因为最后一件衬衫的袖子还没有完全织好。

“现在，我可以开口说话了。”艾丽莎哭喊着，“我是清白无辜的！”

人们被眼前所发生的一切震惊了，他们认为出现在眼前的一定是圣人，他们向她下跪，而艾丽莎却被极度的惊恐和疲惫折磨得精疲力竭，晕倒在哥哥的怀抱里。

“她是无辜的，上帝可以做证。”最大的一位哥哥呼喊着，将事情的前前后后全都讲述了出来。随着他讲述的声音，一股浓浓的花香弥漫开来。围绕刑场的一根根木柱，火刑垛上的干木柴，一根根生出根须，长出枝杈，抽出绿叶，开出芬芳的百花。其中最大的一支是白玫瑰，像明亮的星星在闪烁。国王摘下它，深情地放在艾丽莎的胸脯上。艾丽莎苏醒了，脸颊现出红润，心中充满了幸福和宁静。

“铛——铛——”教堂的钟声自动敲响了，声音悠扬而庄重，成群的鸟儿在空中飞翔，成千上万的人护送着国王和王后返回王宫，这样盛大的场面从来没有人看见过。

夜莺

中国的皇帝是中国人，皇宫中的其他人和老百姓也是中国人，这些不用我说你也知道。

今天，我要给你讲一个很久很久以前发生的故事。你要是不听，可没有人再会讲了；以后人们把它忘了，你也就听不成了。

这个皇帝的皇宫是世界上最华美的。屋顶覆盖着金黄色的琉璃瓦，墙壁和地面全是光彩照人的瓷砖。不过，你要是想摸摸可得当心，

它们又薄又脆，而且价值极高。

宫殿外面是皇家花园，花园里种满了奇花异草。那些最名贵和最美丽的花朵上还系着小银铃，风儿吹动，银铃叮当作响，吸引着你注意它们。

花园里有不少园丁，费尽心思地布置着这一切。花园究竟有多大？连园丁们的头头也说不清楚。如果不停地往前走，可以碰到一个茂密的森林，森林中还有碧绿的湖泊，而森林的那一头，则连着蔚蓝色的大海，大、小船只都可以在树枝底下航行。森林里有一只夜莺，它的歌喉婉转动听，忙碌的渔民只要听见它的歌声，就会立即停下手中的工作。“我的天，这声音多么美妙！”悦耳的歌声使渔夫忘记了工作的艰辛。

世界各地有许多旅行者到皇帝的都城来，欣赏富丽堂皇的宫殿和美丽绝伦的花园，但只要听过夜莺的歌声，他们都会异口同声地说："这才是世界上最美的！"

这些旅行者回国后，不仅和家人、朋友谈论中国的文明和美丽，还有不少学者、作家写了大量的有关中国皇帝、皇城、皇宫和皇家花园的书籍。哪一本书中都没有忘记描述这只夜莺，诗人还为它创作了美丽的诗篇，他们认为，皇家花园最美的、最珍贵的、最令人难以忘怀的就是夜莺的歌声。

这些书籍流传到世界各地，当然也流传到了中国，大臣们收集了几本，呈献给皇帝。皇帝坐在他的宝座上读这些书，不时得意地点点头。不过，书中对于夜莺的描述，倒是他从来没有听说过的，“最美的，最珍贵的、最令人难以忘怀的。”这些赞美之辞也引起了他的好奇。

“什么夜莺？我怎么不知道，我也从来没有听说过！”

皇帝把宰相叫来了。这个宰相权势极大，对一般官员十分傲慢，若是有人向他提问题，而他又不想搭理的话，便“呸”的一声，谁也不知道是什么意思。

“朕的花园里有一只鸟，叫夜莺。”皇帝对宰相说，“那些外国人说，这只鸟是我国国土上最珍贵的东西。但是朕为什么不知道，为什么从来没有人向朕禀告？”

“我也从来没有听说过。”宰相说，“我马上就去打听，我立即去办！”

宰相问遍了宫里的主管和大臣，但谁都摇头说不知道，宰相去禀告皇帝说，那鸟一定是

写书的人编造出来的，请皇帝别相信。

“不会吧……朕读的这本书是日本的皇帝送来的，”中国皇帝说，“一定事出有因！朕要下旨召见它，朕要亲耳听夜莺唱歌。你今天晚上必须把它找来，找不来你们不许吃晚饭，你们个个还要挨板子。”

“遵旨！”宰相说完急忙跑了出去，召集了宫里的大小官员和宫女太监，要他们到处去打听稀奇的夜莺。

其实，皇宫外的老百姓人人都知道夜莺，惟有皇宫内的人不知道。后来有人在厨房里遇到一个刷碗的小姑娘，她说：“我知道，我太喜欢夜莺啦！它的歌声美妙动听！每天晚上，我干完了活儿，管家允许我把剩菜剩饭带一点给我有病的母亲。我母亲住在海边，离这里很远，我走得又困又累，就会在森林里休息一会儿，这时候我总能听到夜莺的歌声，听着听着，我就忘记了疲劳，还会流下眼泪来，就像是妈妈温柔地抚慰着我……”

“小丫头，”宰相说，“皇上今晚要召见夜莺。你要是能带我们找到夜莺，我就提升你，让你侍候皇上吃饭。”

皇宫里有上百人跟着小姑娘和宰相去找夜莺。走着走着，“哞”的一声，一头母牛叫了起来。

“啊！”一个大臣说，“可找到了，这声音多么洪亮啊。真没想到，一只鸟会有这么大的音量。”

“那是一头母牛。”小姑娘说，“夜莺住的地方在海边，还远着呢！”

他们从湖边走过，青蛙蹲在荷叶上，“呱呱”地叫着。

“多好听啊！”皇家寺院的和尚说，“就像庙里的小钟在响。”

“不对，那是青蛙的叫声。”小姑娘说，“不过，我们现在离夜莺住的地方已经很近了，随时都可能听到夜莺的歌声。”

突然，一种美妙无比的声音传了过来，夜莺开始歌唱了。

“那就是它！”小姑娘兴奋地叫了起来，手指向不远处的树枝上一只灰不溜秋的小鸟。

“毫不起眼！”宰相说，“长得实在是太一般了，是不是我们这么多尊贵的人吓坏了它，它把漂亮的羽毛藏了起来。”

“小夜莺，”小姑娘亲热地喊道，“我们的皇

帝要听你唱歌！”

“非常乐意！”夜莺谦虚地说，它展开歌喉，动听地唱了起来。

“这声音就像八音钟的乐声。”宰相说，“瞧它小小的身体、小小的歌喉，竟然唱得如此动听。说来也怪，我怎么从来也没注意到它的歌声呢？”

“还需要我为皇帝再唱一支吗？”一曲终了，小夜莺问，它以为皇帝就在这里。

“噢，了不起的小夜莺，”宰相说，“我能荣幸地邀请你今晚到皇宫去吗？你的歌声一定会使皇帝着迷的。”

“可是，我只有在绿色的森林里才能唱得最好。”夜莺说。尽管如此，可当它听说皇帝一定想听它唱歌，也就不再坚持，很高兴地来到了皇宫中。

皇宫亮得如同白昼，千百盏宫灯映得瓷砖砌就的墙壁和地板闪闪发光。走廊两侧摆放着从花园搬来的奇花异草，人们匆匆忙忙地跑来跑去，衣裙掀起的阵阵微风，吹得花草上的小银铃叮当响。

大殿正面的最高处是皇帝的宝座，宝座前竖立了一根黄金柱子，夜莺将在柱子上表演和歌唱。

皇宫里所有的人都来了，洗碗的小姑娘如今成了侍候皇帝吃饭的宫女，也被允许穿上新衣裳，站在了大门的后面。

皇帝点点头，夜莺开始歌唱了。

夜莺巧喉百转，歌声妙不可言。皇帝不知不觉流下了眼泪。夜莺的歌喉动人心弦，所有的人都被感动了。皇帝高兴极了，下令将他的金拖鞋挂在夜莺的脖子上，这是皇帝颁发的最高奖赏。可是夜莺拒绝了，它说："皇帝的眼泪，就是给我的最丰厚的报酬。"于是，它又舒展歌喉唱了起来。

"这样惹人喜爱的声音，我从来没有听见过。"不少妃嫔、宫女这么说。于是，她们有意识地模仿夜莺的声音，说话时嘴里含着一些水，发出"咕咕"的响声，自以为很好听呢。总之，夜莺获得了极大的成功，夜莺的声音，被公认为世界上最美妙的声音。

皇帝要夜莺在宫殿里住下来，金丝笼是它的屋子。白天，它被允许出去"散步"两次；晚上，被允许出去"散步"一次。每次出去，都有十二个仆人陪伴着它，他们牵着绑在它腿上的丝线。可怜的小鸟无法展翅飞翔，也不能从这根树枝自由地跳到另一根树枝上，这样的"散步"又有什么意思呢！

皇城里人人都在谈论着这只得宠的鸟儿，一个人只要提起“夜”，另一个人马上会接上“莺”。有十二个商铺的老板给自己新出生的女儿取名为“夜莺”，可谁知道她们将来长大会不会唱歌呢！

有一天，皇帝收到了一大包礼物，上面写着“夜莺”二字。

“也许又是一本关于我们这只夜莺的书籍。”皇帝说。

打开包装一看，并不是书，而是一件精致的礼品盒，盒里有一只人造的夜莺。它和真的夜莺一模一样大小，但全身镶满了翡翠和宝石。你只要给它上满发条，它就能唱一支完整的歌，声音和真的夜莺一模一样。它的眼睛能眨动，尾巴还可以来回摇摆，全身上下闪动着五彩的光芒。它的脖子上套着一个项圈，上面

刻写着一行字：日本国皇帝的夜莺，与中国皇帝的夜莺无法相比。

“噢，这只鸟真是好看！”大臣们七嘴八舌地恭维着，那个进献人造夜莺的使者马上被授予“夜莺特使”的称号，并获得了奖赏。

“让两只鸟儿一齐歌唱，那将是多么奇特的二重唱啊！”有位大臣出主意说。

这样，两只夜莺开始合唱了，但怎样也无法合拍。真夜莺唱得自由、随意，而假夜莺却只能唱一板一眼的圆舞曲，而且只会唱一个曲调。

“这不能怪它。”皇宫里的乐师说，“它唱的节奏非常准确，是属于我的皇家学派的。”

这只人造的鸟儿只好单独歌唱了。它也获得了成功，而且一点儿也不比真正的夜莺逊色。另外，它的外表要比朴素的夜莺漂亮得多，和富丽堂皇的宫殿十分相配。

它能不知疲倦地把同样的曲调连唱几十遍，只要大家愿意听。不知不觉半个月过去了，皇帝终于想起了那只真正的夜莺，想听它唱点什么。可是它到什么地方去了？当人造夜莺得宠的时候，仆人们放松了对真夜莺的看管，在谁也没有注意的时候，它飞出了窗子，飞回绿色的森林里去了。

“它为什么要逃走？”皇帝气呼呼地说。宰相和大臣们也跟着大骂夜莺不识抬举，忘恩负义。接着，他们又安慰皇帝说，最好的鸟还是这一只。

人造鸟继续唱着同样的歌。但这首歌的曲

调很怪,宫里的人听了很多遍也记不住。皇宫里的乐师对人造鸟大为称赞,说它比真夜莺歌唱得好,外形也体面漂亮,内部结构的合理也不是真夜莺可以比的。乐师还说:“尊敬的皇帝陛下,各位大人,真夜莺是不可靠的,它随心所欲地唱歌,真不知它会唱出些什么来。而人造鸟就不同了,它的程序都是事先安排好的,它只能唱一个调子。我们还可以把它拆开看一看它的内部构造,了解它是如何歌唱的。”

“我们也正想知道呢!”宰相和大臣们说。

于是皇帝批准乐师在下个星期天公开展览这只人造鸟,让老百姓们也开开眼界。有这样的稀奇事,老百姓当然都来了。他们也称赞人造鸟唱得好,他们听得很兴奋、很开心,就像是喝到了好茶一样满意——你知道,中国人有喝茶的嗜好。不过,那些听到过真正的夜莺歌唱

过的渔夫们却说:“这只鸟虽然唱得也不错,但总觉得缺少点什么……”

真正的夜莺被皇帝下令逐出了中国。

皇帝的床边放了一块丝垫,那是人造鸟的位置。它被封为“皇家首席夜间歌手”,而且位于“左边第一”的位置,皇帝认为人的心脏是在左边,所在左边的位置应当比右边的位置高贵。

皇宫乐师写了一部有关人造鸟的书,有二十五卷之多,真是学问渊博啊!大臣们说,他们都读过这本书,非常赞成书中的论述。其实,他们根本就看不明白,他们生怕被认为是愚蠢才这么说的,否则就得挨板子。

整整一年过去了,皇帝、大臣们,甚至连宫女、侍卫、一些老百姓都记住了人造鸟儿唱的曲调了。格……啦……啦……啦……鸟儿唱,人们也跟着唱,皇帝自己也哼着,真是又热闹、

又快活。

有一天晚上，皇帝躺在床上，静静听着人造鸟儿唱歌。人造鸟儿正唱到音调最高亢的时候，突然变了声调，肚子里“丝丝”地响了起来，紧接着“嘭”地一声，好像有什么东西断了，歌声也戛然而止。

皇帝立即跳下床，命人把御医召进来，但是御医对这机械鸟儿毫无办法。皇帝又命人找来一个钟表匠，费了好大的功夫，总算把鸟肚子里断了的部位接了起来。不过，钟表匠说，这鸟肚子里的齿轮已经磨坏了，即使勉强修好也不能经常使用了，今后必须小心保护才行。要换上新的零件而且会唱歌，是一件十分困难的事，暂时无法做到。

真扫兴！人造鸟一年只能唱一次歌了，而且每次都很难唱完。可皇宫乐师依然称赞它，

说它的音质和以前一样好，还用了许多人们听不懂的词汇赞美它。

五年过去了，一个巨大的悲痛笼罩着这个国家——皇帝病危了，据说他的时日已经不多了，新的皇帝也已经选好了。

中国的老百姓比较喜欢这个皇帝，他们拥到皇宫门口，向宰相询问皇帝的病情。“呸！”他摇摇头，什么也不说。

皇帝躺在华贵的大床上，面色苍白，全身冷冰冰的。走廊和大厅里早就铺上了地毯，人们走过连一丝声音也没有，周围一片寂静。皇帝僵直地躺着，身旁是那只人造鸟儿，月光透过窗户，撒落在皇帝和鸟儿身上。大臣们都忙着去讨好新皇帝，宫女们也凑在一起闲谈喝茶。老皇帝静悄悄地躺着。

他的胸口闷得慌，他几乎不能呼吸了。他

慢慢地睁开眼睛，看见死神坐在他的胸口上，还拿走了他的皇冠和宝剑。大床上面和周围的天鹅绒帷幔的折皱里，探出许多奇形怪状的脑袋，有的面目狰狞，有的形象可爱，那分别代表着他的一生中所做过的坏事和好事。

“你还记得这件事吗？”它们一个接一个地在他耳边低语着，让他回忆起以往的许许多多事情，弄得他浑身冷汗直流。

“不！我什么也不记得了！那些事不是我干的！”皇帝喊叫起来，他的声音是那样的微弱，“快打鼓，快敲锣呀！快奏乐，快奏乐呀！我不想听它们胡说八道！”可皇帝身边连一个人都没有。皇帝又对人造鸟说：“我给了你至高无上的荣誉，我在你的脖子上挂过我的金拖鞋，我给过你无数的奖赏，快唱啊，你快唱啊！”可是人造鸟没有开口，没有人给它上发条，它就无法开口。

周围一片寂静。

突然，窗外传来一阵清脆的鸟叫声，正是那只灰色的小鸟，那只真正的夜莺落在了窗外的树枝上。它听说了皇帝的情况，它想用自己的歌声，带给他一些安慰和希望。夜莺动情地唱了起来。听着，听着，皇帝感到浑身的血液又开始流动了，冰冷的四肢温暖了，那些幽灵都不见了，生命又重新恢复了活力。

死神也想听夜莺的歌，情愿把皇冠和宝剑交出来，以换取夜莺的歌声。夜莺继续唱下去，它歌唱墓地的宁静，歌唱充满哀思的白玫瑰和萋萋芳草，歌唱未亡人无尽的悲伤和怀念……

死神变成了一股阴冷的白雾，从窗口飘走了。

“谢谢你，神圣的小鸟，”皇帝说，“是我把你逐出了中国，而你却挽救了我的生命。我该如何赏赐你呢？”

“您已经赏赐过我了。”夜莺说，“当我第一次为您歌唱时，我得到了您的眼泪。对于一个歌唱者，它才是最珍贵的奖赏。多些休息吧，您会很快恢复健康的，到那时，我会继续为您歌唱。睡吧，睡吧……”

在小鸟的歌声中，皇帝睡着了，睡得很深沉、很安详。

当他醒来的时候，阳光洒满了房间，他感到神清气爽，浑身舒畅。房间里一个侍从也没有，他们以为他已经死了，惟有夜莺依然立在他的床头，为他歌唱。

“请你永远和我在一起吧，你喜欢怎样唱就怎样唱，我将只听你的歌声。至于那只人造鸟，我要把它砸成碎片。”皇帝说。

“请不要这样做，尊敬的陛下，”夜莺说，“它已经尽了力，把它留下吧。我在皇宫里无法生活，绿色的森林才是我的家。请允许我经常来看望您，我将坐在您窗外的树枝上为您歌唱。我将歌唱幸福，也歌唱人世间的苦难；歌唱光明，也歌唱隐藏在您身边的阴谋。而现在，我要飞走了，飞到大海边穷苦的渔夫身边，飞到农民的茅草屋顶上，飞到远离皇宫的每一处地方。比起您的宫殿和皇冠，我更爱您仁慈的心。我会

再来的，会继续为您歌唱的。不过，我想请您答应我一件事。”

“无论什么事，我都会答应你。”皇帝说。这时，他已经穿好了龙袍，戴好了皇冠，手里提着他的金剑。

“我请求您，千万不要对任何人说，说您有一只小鸟，它会把什么事情都讲给您听。只有这样，您的一切才会更加美好。”

说完这些话，夜莺飞走了。

太阳已经升起很高了，一群侍从、宫女才懒洋洋地走进皇帝的卧室，来看他们死去的主人。

皇帝迎着太阳精神地站立着，对他们说了一声“早上好”！

打火匣

“一二一，一二一！”一个退伍的士兵喊着口令，在路上大步走着。他打过许多仗，现在，他背着背包，挎着军刀，正在向家走去。

半路上碰见了一个老巫婆，这是个又丑陋、又可憎的妇人，上嘴唇翻翻的，下嘴唇长长的，一直拖到了胸前。她对士兵说：“你好，小伙子，你的背包真大，你的军刀也不错。看得出来，你是个真正的军人。想发财吗？我有办法，让你想多富有就多富有。”

“真的吗？”士兵说，“那就先谢谢你了，老

婆婆。”

“这棵大树的里面是空的。”巫婆指着路旁的一棵树说，“你先爬到树顶上，然后就能看到洞口了。你从洞口钻进去，就能到树身里了。我在你的腰上系一根绳子，听见你喊，我就把你拉上来。”

“可是我到树洞里去干什么呢？”士兵问。

“背钱呀！”巫婆说，“那个树洞通着一条长长的走廊，里面有一百多盏灯呢，亮堂堂的。走廊里有三道门，钥匙就插在门锁里。你进去之后，要一道一道地把门打开。打开第一个门的时候，你会看见地中间摆着一只大箱，箱子上面蹲着一条狗，狗的眼睛瞪得有茶杯口那么大，但是你不必管它。你拿着我的蓝围裙，把它铺在地上，然后把狗抱在围裙上，它就不会动了。这时候，你打开箱子，里面有无数的铜钱，

你取都取不完。”

“你再带着我的蓝围裙打开第二道门，那里也有一只狗，眼睛瞪得有面盆那么大，你不必理会它，只要把它拖到我的蓝围裙上就行了，然后尽管去取银币。”

“你要想得到金币就得打开第三道门，那里还蹲着一条狗，眼睛有水车的轮子那么大。这是一条真正的狗，但是你不用害怕。你只要把它从箱子上抱起来，然后放到我的蓝围裙上，它就不会伤害你了。这一回箱子里满是金币，随便你拿多少都行。”

“嗯，是个发财的好机会。不过，”士兵说，“你为什么要把这样好的机会给我呢？”

“你是一个又勇敢又聪明的士兵，”巫婆说，“我不要钱，我只要你帮我把一只打火匣子拿出来，那是以前我祖母不小心掉下去的。”

"行！"士兵说，"拿绳子来吧！"

士兵把绳子系在腰里，带上了巫婆的蓝围裙，三下两下就爬到了树顶，一溜就钻进了树洞里，里面果然是一条亮堂堂的走廊。

打开第一道门，地中间有一口木箱子，箱子上蹲着一只大花狗，眼睛真有茶杯那么大，直直地瞪着他。

"你这个可爱的小家伙，快到这里来！"士兵把蓝围裙铺好，把狗拖到上面，然后打开木箱，取了满满一背包铜钱。

打开第二道门，地中间有一口铁箱子，一条大白狗蹲在箱子上，眼睛瞪得有面盆那么大。

“你别这样凶巴巴地盯着我，老朋友，”士兵说，“不认识我吗？”他又把蓝围裙铺好，把狗拖在上面。当他打开铁箱时，看到的全是闪闪发亮的银币，他十分高兴，立刻倒掉了铜钱，装了满满一背包银币。

打开了第三道门时，他吓了一大跳，地中间放着一口大铜箱，箱子上蹲着一条巨大的黑狗，黑狗的眼睛果然有水车的轮子那么大，闪着凶光。

“你好！”士兵向狗行了一个很正规的军礼，狗一动也不动，士兵也不敢轻举妄动。过了一会儿，狗还是不动，士兵想，不过是个庞然大物而已。他小心地走上前去，又小心地把它抱起来放在蓝围裙上，然后回头打开铜箱子。哈哈！满满的全是金币。哈哈！用这些金子可以把卖糕饼女人所有的糖猪、糖牛、甜饼全买下来，可以把整个哥本哈根买下来，可以把全世界的木马呀、锡兵呀都买下来！哈哈！钱可真是个好东西。士兵把银币又都倒了出来，装了满满一背包金币，然后放在口袋里，帽子里，靴子里也塞满了金币，重得他几乎走不动了。现在，我可成百万富翁了！他得意地想。他慢慢地把狗抱回箱子上又一道一道地锁好门，然后退回到树洞口，朝着上面大叫："老巫婆，快点拉我上去！"

"你拿到打火匣了吗？"巫婆问。

"噢，真该死，我忘得一干二净，这就去拿。"士兵又转回身，找到了打火匣。

巫婆把士兵拉上来了，现在，他又走在路

上了，他的身上到处装满了金币。巫婆向他要打火匣，他问巫婆那打火匣有什么用。

“这和你不相干。”巫婆说，“你已经有了足够的钱，请把打火匣交给我。”

“到底有什么用？”士兵说，“快点说实话，要不然，我一刀砍掉你的脑袋。”

“无论如何我也不能告诉你。”巫婆说。

士兵一刀砍掉了巫婆的脑袋，然后取来她的蓝围裙，把靴子、帽子里的金币全都裹在围裙里，扎好背在背上，把打火匣放进衣袋，头也不回地向城里走去。

进城后，士兵选了一家最高档的旅馆，要了一间最豪华的套房，叫了一桌最美味的酒菜，因为他有钱了，想怎么花就怎么花。旅店里的茶房觉得很奇怪，这么有钱的人一身大兵装扮，特别是他的靴子，漏洞百出，实在是破旧得很。

第二天，士兵到街上去买了时髦的衣服和崭新的靴子，装扮起来，士兵俨然是个绅士了。他坐在咖啡馆里与人聊天，希望多知道一些城里的事情。大家给他讲的最多的还是王宫里的故事，告诉他国王的女儿是如何的美艳绝伦。

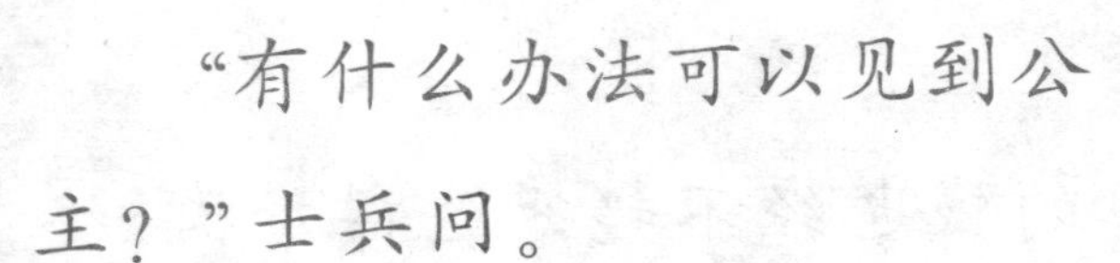

“有什么办法可以见到公主？”士兵问。

“只能在睡梦中。”所有的人都这么说，“王宫戒备森严，周围是几道高墙，高墙上还有塔哨，连只老鼠也溜不进去。你知道吗？以前曾流传过一个预言，说公主将来会嫁给一个大兵。高贵的公主能下嫁给一个扛枪的大兵吗？国王一听就受不了。”

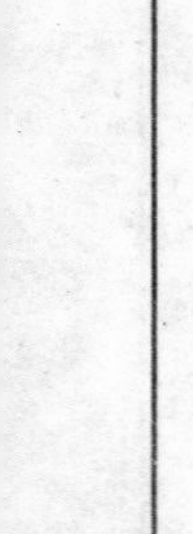

如此说来,我倒很想试试。士兵心里这么想,但是他没敢说出来。

士兵现在逍遥自在得如同神仙一般:天天泡在戏院看戏,常到皇家花园散步,也施舍一些钱财给穷苦的人们,还交了一大帮朋友。他们都说他是世界上少有的豪侠之士。他愿听这些话,他终日吃吃喝喝,花天酒地。他十分感叹,没有一文钱是多么可怕的事,而有钱,是多么美妙啊!

但是,有再多的钱也经不起他这样折腾,终日里只出不进,到最后,也只剩两个铜钱了。他不得不从豪华的房间里搬出来,住到便宜的楼顶阁楼里去了。要想上去,得爬很高的梯子呢。没钱了,那些恭维他的朋友也不来了。

一天晚上,天很黑,他想点支蜡烛,一找,也没有了,去买吧,没钱了。他在黑暗中独自坐着，突然想起了那个打火匣子，里面还放着一截蜡烛头。他拿出打火匣子在火石上一擦，"嘭"的一声，火星一闪，他的面前出现了一道亮闪闪的门，门是开着的，那个有着茶杯大小眼睛的花狗出现了，它恭顺地说："我的主人，你有什么吩咐吗？"

"咦？这是怎么回事？"士兵十分惊讶，跟着他就明白了，这个打火匣是个宝物啊！"我要些钱用，给我弄几个钱来。"士兵试探着吩咐说。

狗不见了，转眼功夫又出现了，嘴里叼着一个钱袋，里面装满了铜钱。

"嘿！这可真是个无价之宝啊！"士兵十分兴奋，蹲在地上不停地试。把打火匣擦两下，

来的是铁箱子上的狗，叼来的是银币；把打火匣擦三下，来的是铜箱子上的狗，叼来的是金币。

士兵又有钱了，又搬回了豪华套间，他的那些朋友又都来了，前呼后拥地跟随着他，不停地奉承着他。

悠闲的日子过长了，难免生闷。士兵生出了一些坏念头。“人人都说公主长得美丽，但是一个人呆在深宫里，再美也没有意思。我很想看她一眼，现在就看我的狗有没有这个本事了。”

士兵掏出打火匣，一擦，“嘭”的一声，那只花狗静悄悄地出现了。

“我的主人，你有什么吩咐吗？”狗说。

“深更半夜，我不忍心让你辛苦，”士兵说，“但是我渴望见到那位公主，哪怕是看一眼都好。”

“好的，我的主人。”狗说完立即不见了。刚刚过了十几分钟，它就背着公主回来了。公主穿着睡衣，躺在狗的背上，似乎睡得十分香甜。只要看上一眼，谁都会认为这就是公主，因为她长得太美了，她的气质高贵得无法形容。士兵忍不住亲吻了公主一下，正因为他当过兵，所以他才会有这么大胆的举动。

拂晓之前，士兵又让狗把公主背回去了。公主一觉醒来，觉得昨晚的梦十分奇怪。在和国王、王后一起喝早茶的时候，她就告诉了他们。她说她梦见了一条狗和一个士兵，她躺在狗的背上飞，那个士兵还吻了她。

“故事挺好玩的。”王后说。

但是国王却不敢大意。第二天晚上，国王派了一个老宫女守在公主的床边，命令她整夜都要小心看护，不许睡觉。

这天晚上，士兵又想见一见美丽的公主，他让狗去办妥这件事。

那条花狗突然出现在公主的床前，背上熟睡的公主就跑。躲在一旁的老宫女急忙穿上她的软底鞋，悄悄地跟在狗的后面。她看见狗背着公主消失在一幢大房子里，便在大门上用粉笔画了个十字，心想再来好辨认。谁知那狗十分聪明，看见大门上画了个十字，就用嘴叼着粉笔，在城里所有宅邸的大门上都画了一个十字。

第二天一大早，根据老宫女的禀报，国王和王后带着一大群官员和侍卫去查看公主曾经去过的地方。

“就是这儿。”国王看见一幢住宅的大门上画着白十字，就下命令进去搜查。

“不，亲爱的，是在那儿呢！”王后说，她手指着不远处的另一所大房子。

“啊，这里也有十字，那边也有……”官员和侍卫们七嘴八舌地叫起来。他们这才发现，无论向哪边瞧，到处都可以看见十字。

王后不光喜欢坐马车兜风，她还很有些计谋，是个非常聪明的女人。回到王宫后，她取出她的金剪刀，剪下一块白绸子，缝了一个精致的小袋子，里面装上细细的荞麦粉，然后把它系在公主的脖子上。晚上公主睡着后，王后又在袋子上剪了一个小口子，这样，公主无论走到哪里，一路上都会洒下细细的荞麦粉。

这天晚上，狗又来了，又把公主背到了大旅店里。士兵已经深深地爱上了她。爱情使他

忘记了危险，他幻想着自己能成为一位同样高贵的王子，与公主结为夫妻。

这一次，忠诚的狗完全没有发现，细细的荞麦粉从王宫公主的卧室一直洒到了士兵的窗台上——因为它是从窗户爬进去的。不用说，士兵被抓了起来，关进了大牢。

“明天早晨，你就要被处以死刑了。”管大牢的官吏对他说。大牢里又黑暗又沉闷，但更让他懊悔不已的是，他忘了把打火匣带来了。

第二天早晨，他爬在大牢的小窗户上，手抓着铁栏杆向外望。他看见许多人涌出城去，刑场在城外，他们是要看他上绞刑架。

一队士兵敲着鼓走过来了，拥挤的人群尽量靠向路边，好给士兵们让路。有一个小鞋匠被挤得撞在了大牢的外墙上，连破拖鞋都给踩掉了。

“喂,你这个小师傅,”士兵叫住小鞋匠,对他说,“别着急,我还在这儿呢,牧师还没来,如果你能跑到我住的旅店,把我的打火匣拿来,我就给你四块金币。不过,要快些跑才行哟!”小鞋匠一听可以得四块金币,光着脚拔腿就跑,很快就取来了打火匣,交给了士兵。这下子,好戏又开场了。

话说城外的刑场上,绳套已经挂上了。国王和王后坐在高高的台子上,他们前面是大法官和一些陪审人员。刑场周围是手持武器的士兵和成千上万的市民。

士兵被押送过来,站在梯子上了,行刑的刽子手要把绞索套在他的脖子上。这时,他大声地说,每一个罪人在接受最后的惩处之前,都应该满足他的一个合理的请求。他说他想抽一口烟,是最后一口烟了。

国王答应了士兵的请求。士兵掏出一根烟又取出他的打火匣，连擦了好几下，随着火星闪亮，三只大狗突然出现在他的身边。一只花狗，眼睛有茶杯口大；一只白狗，眼睛有面盆大；一只巨大的黑狗，眼睛有水车的轮子那么大。

“快来救我，他们要绞死我！”士兵喊道。

几只大狗立即向法官和陪审员扑过去，拖这个人的腿，咬那个人的手，把他们甩出几丈远，把他们抛向天空。审判台上一片混乱，巨大的黑狗拖住了国王和王后，毫不留情地把他们乱甩、乱扔。

士兵们害怕极了，拿着武器的手直发抖。很多市民认识这位经常施舍的富翁，他们叫了

起来:“能干的士兵,你来做我们的国王吧,你跟美丽的公主结婚吧,这是上帝的旨意!”

士兵喝住了自己的狗,放过了国王和王后。士兵的仁慈得到了大家的拥护,市民高呼着“万岁”,把他抬进国王华丽的四轮马车里,士兵们敬佩地向他行军礼。三只狗在他前面跳来跳去,显得十分威风和神气。

公主早就过腻了禁闭的生活,对聪明勇敢的士兵十分满意。他们举行了隆重的婚礼,盛大的庆祝活动持续了整整八天。三只狗也成为嘉宾,出席大大小小的宴会,狗的眼睛睁得比任何时候都要大,都要敏锐。

公主与豌豆

最新版

从前有个王子，想找一位公主做新娘，但她必须是一位真正的公主，有着高贵的血统。为了这件事，他游历了整个世界，拜会了许多国家的国王，见到了一大批公主，可没有一个合他意的。这些公主要么长得太一般，要么风度不佳，即使长得漂亮，也总是觉得有点儿不对劲儿，怀疑人家不是真正的公主。他心事重重，十分烦恼。

一天晚上，电闪雷鸣，狂风骤起，倾盆大雨从天而降，人们全都缩进屋子里去了。突然，

有人敲王宫的大门，卫士向国王禀报说，有一位公主求见。

国王召见这位公主，可是，这是真正的公主吗？雨水顺着她的头发直往下淌，从靴后跟流出去，又从鞋尖冒了出来，转眼地上就湿了一大片。但她坚持说她是邻国的公主，是出来玩的，不小心迷了路。

“我们很快就会搞清楚的。”王后在国王的耳边小声嘀咕着。

王后先赶到接待贵宾的客房。将所有的床垫都掀开，在光光的床板中间放了一颗豌豆，然后在豌豆上面铺了二十层床垫，在床垫上面又铺了二十层鸭绒褥子，请公主就在这张床上休息。

第二天早上，王宫的主管问她一夜睡得怎样，她回答说：“糟透了，我整整一夜翻来覆去未曾合眼，那床上有什么硬东西啊，硌得我全身青一块紫一块的。”

主管把这些话禀告了王后，这下他们认定这的确是一位真正的公主了。因为她能透过二十床垫子和二十床鸭绒褥子，感觉到那颗豌豆，只有真正的公主才会这样敏感！

王子高高兴兴地娶了她。那颗豌豆呢？也被放进了皇家展览馆，要是没人把它拿走的话，大概还能在那里看到它呢！

这可是个真实的故事哟！

护身符

在很远很远的时候，有一位王子结婚了，他和公主对自己的生活感到特别幸福。但是，他们有时也产生一些忧虑和担心：他俩能否永远过上这样的幸福生活？他们想来想去，觉得应该要有一道护身符。因为有了护身符，就能永远保佑他们婚姻美满过上幸福的生活。在城外的大森林里，住着一位聪明的隐士，他有能够医治世界上各种各样悲伤和忧虑的良方。

于是，那位王子和公主就前往大森林，找到了聪明的隐士，将他们心中的忧虑告诉了隐士。隐士听完王子和公主的叙说后，就对他们说："我告诉你们一个方法吧，你们到世界各地去寻找，如果遇到一对婚姻生活真正感到幸福美满

的夫妇时，就请求他们将自己内衣上的一小片布头送给你们。你们得到那一小片布头，就要时时带在身上。它虽然是一片小布头，但它就是护身符，有着很奇特的魔力呢！”按照隐士的指点，王子和公主就动身踏上寻找小布头的旅程。

他们骑着马，刚刚走了不远的路程，就听路人说：在一座城堡里，有一位骑士的婚姻很幸福。王子和公主就赶到了那座城堡，他们向骑士和他的妻子问道：“听说你们对自己的婚姻生活很满意，这是真的吗？”“是呀！”那位骑士回答说，“除了一件事情外，其他都是真的。我们没有孩子。”看来，

他们也有不满意的事情，显然不能索要小布头，得到护身符。王子和公主就重新上路了。

他们走了很久，来到了一座热闹的大城市。听市民说，这城市里住着一位很有名望的人，他和妻子结婚多年了，日子一直过得十分美满。于是，王子和公主边走边打听，终于找到了他的家。他们就问那位有名望的人："你的婚姻生活真的是那样美满吗？""是呀，真的是美满着呢！"有名望的人接着说，"我与妻子一直过得很幸福。不过，如果没有这么多孩子就好啦，孩子多了，他们经常给我找麻烦，整天搞得人心烦意乱！"可见，有名望的人也有不满意的事情，王子和公主当然也不能去索要小布头，得到护身符了。

就这样，王子和公主又继续向前赶路。他们一边走，一边问：有谁知道婚姻只有欢乐的夫妇?他们走遍了许多地方,但是从来没有人告诉他们有这样一对夫妇。

有一天,王子和公主经过一个草场,远远看见一位牧羊人坐在那里吹笛子。就在这时,只见他的妻子抱着一个婴儿,身边跟着一个男孩子,一起向牧羊人走去。那位牧羊人一看见妻子来啦,高兴地跳了起来,急急忙忙地跑去迎接他的妻子,并一边接过婴儿,一边亲热地吻那个男孩。牧羊人的狗也来了,兴奋地围着男孩子转,又不时地用舌头舔他的手。

牧羊人的妻子放下带来的罐子,说:“来吧,当家的,快来吃饭吧!”尽管牧羊人也很饿了,但他还是把第一勺饭给婴儿吃,第二勺饭给男孩和牧羊犬分着吃。牧羊人一家的生活情景都被王子和公主看到了,他们跳下马来,一起走到这家人跟前,自信地向牧羊人一家说道:“我觉得你们两口子是世界上婚姻生活最美满的一对，是吧？”“是的，我们真是幸福美满。”牧羊人回答说：“我认为，就是王子和公主也不见得比我们更幸福啊！”“既然是这样的话，我们有一事想求两位帮助。”王子诚恳地说，“请你们将贴身内衣的一小片布头送给我们。当然，我们会付给两位很多的金币。”听到王子的话后，牧羊人和妻子的脸都红了，显得特别不好意思。

无奈中，牧羊人只好说：“上帝知道，我们是很想送给你们一小片布头的，就是一件内衣我们也愿意奉送的。假如我们有的话。遗憾的是我们没有。”王子和公主没有得到他们所想寻求的护身符，只好继续

向前赶路。

最终，他们已经开始厌倦了这种奔波和寻找，决定回到自己的国家。他们在回来的路上经过那座森林，又去见聪明的隐士。王子对隐士说："你的那个主意太不好了。"聪明的隐士说："你们这趟旅行难道真的白费劲啦？你们从自己的经历中难道没有学到什么东西？"王子低头想了想说："学到了。我现在真正知道知足是人间最难得的福气。"

公主接着说："我也知道了，要想满足，首先要知足。"王子拉住公主的手，互相深情地想着，他们会心地笑了。聪明的隐士向他俩祝福说："你们已经在自己的心灵里找到了真正的护身符。你们要小心保护它。只有这样，在今后的日子里，不满足这个恶魔就不会对你们有伤害啦！"

蜗牛和玫瑰

一个美丽的花园，周围是一排榛树树篱。树篱外是田地和草场，牛羊在草场上悠闲地吃草。花园中央是一大丛玫瑰，花朵盛开着。玫瑰丛下潮湿的阴影里有一只蜗牛。

蜗牛老是缩在自己的壳里不动，可有时候它也会伸出脑袋说：“等着吧，等我的时机到了，我会做些更有意义的事情。结些榛子算什么，挤出些牛奶羊奶又有什么了不起，做这样一些小事，一点儿满足感都没有。”“我对你真的抱有很大希望。可是，你能不能告诉我，你什么时候才开始行动

呢?”玫瑰丛温和地问道。“时机未到啊!”蜗牛回答说,“急也没用,总不能像你那样风风火火的吧,做大事得沉得住气。”

一年过去了,蜗牛仍然躺在玫瑰丛下暖融融的老地方。玫瑰经历了一个冬天,开始绽出颗颗花蕾,很快便繁花朵朵,十分鲜艳美丽。一天,蜗牛从壳里探出半个身体,伸出它的触角左右看看,说:“看上去和去年一模一样,毫无变化,没有进步。玫瑰只会开花,难道不会干点别的吗?”

夏天过去了,秋天也过去了,玫瑰不断地结出花蕾,不断地开出花朵,一直开到天变冷了,下起雪来。这时,它的枝条才光秃秃地垂向地面,而蜗牛也早已钻进了泥土里。又一个春天到了,玫瑰长出了新叶,花朵也竞相开放,蜗牛也再次出现了。“你已经是棵老玫瑰啦,你就快要死啦!”蜗牛对玫瑰丛说,“你把自己的一切都献给了这个世界,你的奉献是否有价值呢?你从来没有考虑过自己,没有考虑自己应该怎样发展才有意义。现在晚了,很快你就会变成一根根枯枝,一切都等于零,你明白我说的话吗?”“你别吓我了,”玫瑰丛说,“我从来没想过这些事。”

“你呀,从来就不动脑筋想问题。你该想一想了,你为什么要开花,你的花为什么是这样的而不是其他样子的?”“确实没想过。”玫瑰丛说,“我感到快乐,我的花儿就纷纷开放,我无法阻止它们。太阳是这样的温暖,空气是这样的清新,我吮饮着甜美的露水,沐浴着凉爽

的雨丝，我从泥土和空气中汲取着营养和力量，我十分满足。我必须开放我的花朵，这就是我的表达和生活，至于其他的事情，我不会做。”“你的生活太轻松、太安逸了。”蜗牛说。

“一点儿也不错，我的确不缺少什么。”玫瑰丛说，“但大自然给你的东西比我要多，你有清晰的头脑，沉着的性格，你一定能做出伟大的事情，让全世界感到震惊。”“震惊全世界？”蜗牛缩回了触角，然后又伸了出来，说，“我为什么要那样做？世界对我来说毫无意义，我关心自己就足够了。何况，我体内的东西完全够用，我不需要外界的任何帮助。”

“可是，在这个世界上，我们不应该互相帮助吗？不应该尽自己的能力做出贡献吗？不错，我只有玫瑰花，但是你呢？你有那么多的天赋，你贡献了什么呢？”“我贡献了什么？”蜗牛叫道，

“我吐它一口唾沫吧!这世界毫无意思,它和我一点儿关系也没有。继续开你的花儿去吧,反正别的事你也不会做。让榛树去结榛子吧,让牛羊去产奶吧,我就待在这里,缩进我自己的身体里,天塌下来和我也没有关系。”

“真令人难过,”玫瑰丛说,“蜗牛为什么不喜欢这个世界无论如何,我都不能缩回到自己的身体里去,我的枝条必须伸展,我的花朵必须怒放,我的花瓣随风飘走。但是我知道,

我的一朵玫瑰花被夹在一位夫人的诗歌集里,一朵玫瑰花佩戴在一个漂亮女孩的胸前,还有一朵玫瑰花被一个快乐男孩亲吻着……有这些足够了,我已经觉得很幸福了。”

玫瑰继续抽条、长叶、开花，天真而快乐；蜗牛则继续懒散地躲在它的壳里，好像世界真的与它毫无关系。

春夏秋冬，年复一年。那丛玫瑰变成了泥土，融入了大地，那只蜗牛也变成了泥土，甚至夹在诗歌集里的那朵玫瑰花，也早已枯萎成了粉末，但是，花园更加美丽，一丛丛的玫瑰生机勃勃，鲜花朵朵；玫瑰丛下还有许多蜗牛，不时地说着大话，啐一口唾沫，然后缩回到自己的壳里，世界在它们看来依然毫无意义。

街上的招牌

听听老爷爷讲那些游行的故事，还是很有趣的。老爷爷很小的时候，他经常穿的是红裤子，红上衣，在腰里系一条布带，帽子上还插一根羽毛，那是当时男孩子们穿的最为时髦的服装，他说那时候有许多事情与现在不一样，那时街上经常有游行庆祝之类的活动，当然现在不会再举行那样的游行了，因为那样的游行已经过时啦！

那时游行很多，鞋匠行会要将行会的牌子从旧会馆搬到新会馆，那就要游行。游行队伍最前面高举着一面巨大的绸布旗，旗上悬挂着一只大大的靴子，靴子上绘着一只双头的老鹰。在旗的后面，走的是一位年龄最大、手艺最

高的鞋匠，他手里拿着一把长剑，剑头上还刺着一个柠檬。再后面就是制鞋的工人们，他们在衬衣上装饰着红色和白色的缎带。一位年龄最小的制鞋工人手里捧着一个大大的银杯，背着装有鞋匠行会现金的那只箱子。游行队伍里还吹奏着音乐。最出色的乐器是“鸟”，它是一个高大的东西，头顶上装有一个用黄铜制的半月，那里垂吊着五花八门的金属片，只是金属片晃来晃去，发出丁丁当当的土耳其音乐。“鸟”摇晃着，身上的各种金属片就反射出亮光，夺人眼目，很是好看。

游行队伍中，有一个小丑，他穿着用五颜六色的布片拼起来的衣服，脸上涂画着黑色，帽子上的铃铛，就像拉雪橇的马所发出的铃铛声那样，丁丁当当，显得很是快乐。小丑一会儿跑在队伍前边，一会儿跑进队伍的中间，手舞足蹈，又蹦又跳，有时，他还会跑进旁观的人群中，用自己的小棍敲敲观望者的脑袋，人群里立刻爆发出一阵欢乐的笑声。

旁观的人也很多，他们向前挤，又被推回来。孩子们是最快乐的人，他们在游行队伍的两侧跑着，有的不小心跌倒了，甚至跌到路边的水沟里。老太太也伸着脖子，摆着手向前挤，但脸上似乎少了一些光彩。

街边上，有的人在高声交谈议论着，有的人在指手画脚微笑着。临街每家住户台阶上也都站满了人，每一个窗口都挤满了人，甚至屋顶上也满是观赏的人……天气晴朗，阳光灿烂。当然，也并不都是这样。有时天空就会突然降一阵大雨，那雨对农民很有利。天下雨时，旅行的人被淋得浑身湿透，但那雨对全国百姓来说是上帝的恩赐。

老爷爷小时候见过许多许多令人惊奇的事情。鞋匠行会搬进新会馆的那一天，老爷爷听过最年长的那位鞋匠所作的演讲，他站在新会馆前面新搭的脚手架上，挂那张行会的旧牌子。那鞋匠演讲用的是诗歌体语言，再加上鞋匠说话的独特样子，使演讲听起来好像别人事先写好似的。

其实，那演讲稿确实是三个年轻的鞋匠用了整整一个晚上赶写出来的，为了写演讲稿，他们喝光了整整一盆酒。

演讲结束后，大家纷纷鼓掌。小丑也不闲着，他又跳到那个脚手架上，模仿那个鞋匠的演讲，人们又报以

喝彩声。小丑特别伶俐，他那夸张的模仿动作，把鞋匠的演讲嘲弄得像个傻瓜。他边表演，边喝啤酒，并把那个小酒杯抛向人群，人群中有人将小酒杯抛了过来，一位石匠递给小丑一只酒杯，小丑又喝起酒来。最后，鞋匠行会的牌子挂好了，许多由鲜花和绿叶编成的花环挂在牌子上，很是好看。那真是一个盛会，大家都玩得很高兴。

老爷爷说："你决不会忘记那样的盛会，哪怕你活到100岁也不会忘记的。"老爷爷虽然见过许多丰富惊奇的事，但他最难忘的是那一天。那一天发生了一场风暴及其狂风把各种招牌调换的故事。

那是在老爷爷随父母搬迁到哥本哈根的事。老爷爷当时是第一次去哥本哈根。街上有许多人，起先，他以为这又是哪一家行会正在搬

迁会馆，人们等着观赏游行呢。

他在街上走着，看着，慢慢地，他发现街上每一幢房子的前边都挂着一块牌子。他心里想，怎么会有这么多牌子呢？要是把这些牌子收起来，那要放多少个房间呢？他看到，裁缝的招牌上有一把剪刀，还画着各种服装。这些服装有简单的工作服，也有很讲究的礼服。这些招牌似乎说明：无论人们需要什么样的服装，裁缝都会做出来，以满足你的要求。

有一个招牌上画着一位神父和一副棺材，有的牌子上画着黄油车和鲱鱼。还有一个招牌很有意思，是画一位长相可爱的男孩子抽雪茄。小孩子本不应抽烟，但有人就是抽。满街的招牌，使你眼花缭乱，那些招牌有的写有文字，有的画着夸张的画，你沿街走上一整天去观赏，也看不完。

漫步街头，通过招牌就可以增加到许多学问：走过每一幢房子，你能通过招牌判断出是谁住在里面，也能判断出他们的职业是什么。“知道每幢房子里住的是什么人，这在一座大城市里，是有好处的。”老爷爷说。

老爷爷在哥本哈根的第一个夜晚，就遇到了一场风暴。母亲说，老爷爷经常编故事逗大家乐，流露出一种愉快的神情。但是他给我讲述在哥本哈根遇到的那场风暴，倒是显出一副严肃的神态。

你知道啊，那场风暴很厉害呀，它比报纸上读到的任何风暴天气还要凶猛。因为在人们的记忆里，从来没有哪一场风暴比它更猛烈。一场风暴使房子上的瓦片像雨点般落在街上，全城的木栅栏一道道平躺在地上。大街上到处都是物体的碰撞声，和人们惊呼的嘈杂声，一辆手推车沿着街道孤零零地滚动。暗夜里，小孩的哭救声更让人心惊。水渠里的水被风暴刮得冲到大街上，沿着大街到处流。风暴将屋顶掀起，顺手又带走许多烟囱，一些教堂的尖塔被刮断，显得光秃秃的。

城里的消防局长，是一个可爱的老人，但他总是最后一个到达火灾现场。在风暴中，他家旁边有一个岗亭，被风暴刮倒，沿着大街翻滚，更令人惊奇的是，岗亭被刮到一个穷木匠住的家门口，它又被扶起来站在那里。当然岗亭站在什么地方，它是不会去计较的。还是说说理发师的招牌吧。

他的招牌的样子很像理发时用的那个盘子，也就是刮胡子时放在客人下巴下边的盘子，以免肥皂水滴落在客人的衣服上。那招牌是一个大铜牌，它被风暴吹得脱开铁链，飞到半空，然后又落到法官家的窗台上。许多邻居都认为那是一种报应和惩罚，因为法官的妻子的舌头像把刀，特别饶舌，她了解城里每个人的底细，也了解她的邻居。

那风暴还把一块挂着一条干鳕鱼的招牌，刮到报社主编的门口。我觉得那真是一个让人哭笑不得的玩笑。因为在丹麦，鳕鱼是愚蠢的象征。风暴如果有灵性的话，它肯定知道，新闻报纸有巨大的宣传力量，那主编在自己的报纸上称王称霸，发布命令，正是愚蠢至极。

不仅如此，风暴还做下了一些惊奇的事，它将一个风标吹过大街，落在邻居的屋顶上，似乎想要把屋顶砸出一个洞。一个绘着桶的形象的箍桶匠的招牌，后来发现被风吹到专做女佣紧身褡裢的裁缝的门前。吊在餐馆前面的黄铜做的菜谱牌，飞越广场，落在戏院那儿，真成了罕见的节目——“辣根汤和镶菜心”，当晚，平时总是空一半的座位，变得爆满。

皮货商的招牌是一张红狐狸皮，只要那张红狐狸皮在门前一挂，就是极有声誉的无形招牌。谁知就那天晚上，风暴将红狐狸皮吹跑了，使它缠绕在一根拉铃绳上。那幢房子里住着一位特别的年轻人，极有名声，每天他早早出门参加礼拜，，他的姑妈说他应该是其他年轻人学习的榜样。

一块写着“高等教育研究院”文字的牌子，被风暴吹到台球房上边。而另外一块写着“这儿用奶瓶给婴儿喂奶”的牌子则刮到了研究院的上边。这真是恶作剧，但恶作剧的制造者是风暴，人们无法告知风暴怎样做才是正确的、合理的。那个夜晚真是可怕呀！

早晨，人们出门一看，全城的招牌都给调

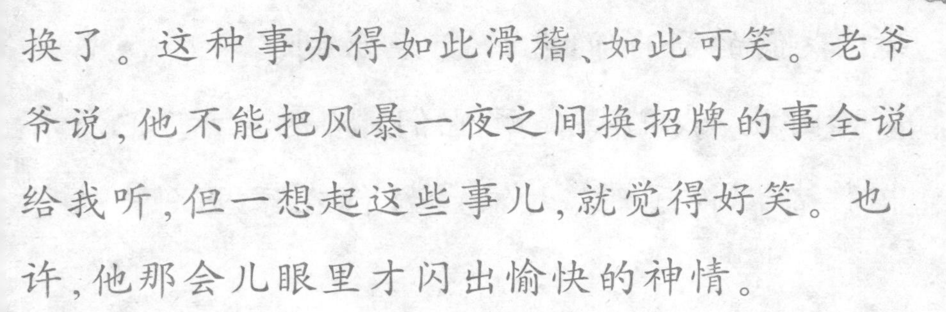

换了。这种事办得如此滑稽、如此可笑。老爷爷说，他不能把风暴一夜之间换招牌的事全说给我听，但一想起这些事儿，就觉得好笑。也许，他那会儿眼里才闪出愉快的神情。

那场风暴造成了一场混乱，对于从外地到哥本哈根的人来说，更是如此。因为外地人如果按照指示牌走路，肯定会走错的。有些人本来到首都，准备与本城的老前辈们讨论一件严肃的问题，结果则发现，他们来到的是一所全是男生的小学校，一群孩子围住他们又喊又叫。还有一些不幸的人，错把教堂当做戏院，真是一个天大的误会。

从那以后，在哥本哈根再也没有发生过那样令人可怕的风暴。老爷爷可能是现在惟一记得那场风暴的人。因为那时他还是个孩子。我怀疑，我们有可能还是遇得上那样的风暴，或者，我们的孙子们也许会经历到。

因此，我们得提醒他们，风暴来后，把所有招牌都调换了时，大家最好待在家里别出去。

幸运的贝儿

最新版

从前，在一个非常有名的大街上，有一幢漂亮的房子。在这幢房子里住着两家人。一家人就是这幢房子的主人，他们是非常有钱的商人。另一家人住在这幢房子的顶楼里，他们是穷苦的人。父亲是仓库看守人，母亲是位洗衣婆，另外还有一个年老的祖母，她年轻的时候跳过芭蕾舞。

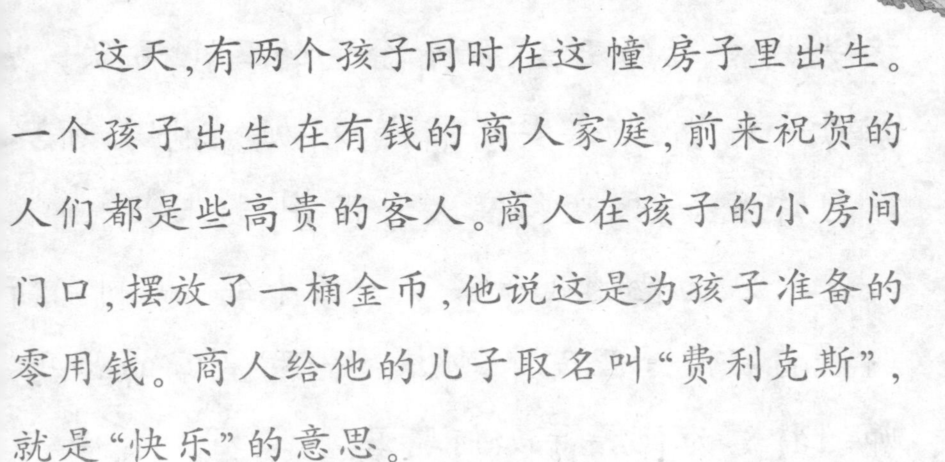

这天，有两个孩子同时在这幢房子里出生。一个孩子出生在有钱的商人家庭，前来祝贺的人们都是些高贵的客人。商人在孩子的小房间门口，摆放了一桶金币，他说这是为孩子准备的零用钱。商人给他的儿子取名叫“费利克斯”，就是“快乐”的意思。

一个孩子出生在穷人的家里，虽然没有人们来祝贺，但他们全家也非常高兴。有趣的是在他们家的门外也放着一个桶子，不过桶里装的是一堆垃圾。两个孩子中一个出生后就有一桶的金币在等他，另一个只有一桶垃圾。穷人的孩子也有一个名字叫“贝儿”。

贝儿一天天地长大，他每天听老祖母讲故事，他从这些故事中知道了许多事情。

有一天，贝儿问老祖母：“我能不能到外国去旅行一次，当我回来的时候，我就能成为一

名头戴皇冠的王子，骑着金色的马儿唱歌！”祖母告诉他，如果要想取得成功，就得先刻苦学习许多知识，变得高大和强壮起来。

商人为他的儿子买了一匹小马，费利克斯骑着它在院子里跑来跑去。一位皇家的骑马师还特意为他指导如何骑马。

贝儿也有两匹马，不过是木马。

有一天，贝儿看见商人的儿子费利克斯骑着一匹真正的小马，他就问妈妈，为什么费利克斯有一匹真正的马，我却没有呢？妈妈说：“因为费利克斯住在楼下，你住在顶楼上不能养马呀，因此，这两匹木马非常适合你。”

贝儿不骑马的时候，他就跑到楼下去玩。商人的院子后面是一个建筑工地，堆放了许多脏东西。有许多野孩子经常来到这儿，在这些脏东西中间捡东西。贝儿也加入到他们中间，用他的小手在尘土里寻找。他真是个幸运的孩子，在脏东西里面发现一个金戒指。

贝儿把金戒指交给了妈妈。妈妈又把它交给了女主人。

女主人看到金戒指的时候，她的眼睛立刻闪闪发亮。原来这枚金戒指是她的订婚戒指，三年前她丢失了，没有想到贝儿居然又给她找回来了。她立刻送了贝儿一笔酬金，作为感谢。

幸运的贝儿就用这笔钱来上学。贝儿有一位干爸爸，在一家戏院的舞台上工作。有一天，他带贝儿到戏院里去，这次他们观看的是芭蕾舞，贝儿还从来没有见过这么优美的舞蹈。他决心也要做一名芭蕾舞演员。

他妈妈没有办法，只好领他去拜见一位芭蕾舞教师。这位芭蕾舞教师让他站直身体，脚踝露出来。芭蕾舞教师说："贝儿是个漂亮的孩子，他完全可以以成为一名合格的芭蕾舞演员。但是当芭蕾舞演员有许多意想不到的困难！”

贝儿可不在乎什么困难，这样，他就跟芭蕾舞教师开始学习芭蕾舞。他是个聪明的孩子，学习刻苦，他很快就成为一名优秀的芭蕾舞学生了。

有一天，教师告诉他现在可以上台表演了，他高兴极了。贝儿参加一个叫作《吸血鬼》的芭蕾舞演出。在这个舞蹈中，贝儿和其他几个学生一起扮演蝙蝠的形象。他的表演非常出色。

但是，在他的后面有一个学生老是踩他的脚背，贝儿表演起来就很听力。他穿着的那件紧身衣又旧又容易破，经不住这种吃力的动作，他的衣服后面裂开了一个大口子，从颈背一直裂到裤脚。

所有的观众都大笑起来。

贝儿伤心地哭了。

后来，他的同学们把他叫作“裂口”。他实在忍不住了，就离开了舞蹈学校。他说这儿的空气不太好，他要学习唱歌，一位歌唱家发现了他的歌唱才能，专门抽出时间为他指导。

几年以后，贝儿成为了一名优秀的歌唱家，当大家祝贺他的成功时，谁也不知道他曾经是一个穷人的孩子。

园丁和主人

从前，在离城不远的地方，有一幢古老的房子。这是一位贵族老爷的公馆。房子前面是一片整齐的草场，草场四周种着许多名贵的花儿和果树。

负责照料这些花儿和果树的是一位名叫拉尔森的园丁。他是个勤快、懂行、热心的园艺家，无论谁看了这些花圃、果树和菜园都夸奖他干得真不错，不过这家的主人认为园丁不像别人说的那么好。他觉得园丁种的果子没有别人家的好吃，种的花儿没有别人家的好看。问题究竟在什么地方呢？

有一天，主人把园丁叫来，很严肃认真地对他说：“前几天他们去看望一位朋友，这位朋友招待他们的苹果和梨又香又甜，所有的客人都非常羡慕，表示赞赏。”他想，这些水果肯定不是本地出产的，主人还告诉园丁，

这些水果是从城里的一家店里买来的。他叫

园丁快去打听一下这些苹果和梨是什么地方的产品，想办法弄几株树苗，来培植栽种。

园丁听了主人的吩咐后，马上来到城里，向商店的老板打听这些最好的苹果和梨是从什么地方运来的。

商店的老板说："嗨！这可是从你家的园子里弄来的呀！"

园丁马上就认出来了，这此苹果和梨都是他的果树上结的。把这个消息告诉主人，说他们吃到的最好的苹果和梨子都是自己园子里的产品。

主人不相信。

园丁马上又到商店老板那儿去，取来一份书面证明书，证明这些苹果和梨都是从他们的园子里弄来的。

从这天起，他们的桌子上每天都摆满了自

己园子里产的新鲜水果，用来招待客人。有时，还把整筐整桶的水果送给城里城外的朋友，还送给遥远的外国朋友。

主人对园丁说：“拉尔森，你可不要骄傲。”

园丁想：我是不会骄傲的，但是我必须让大家都知道我是一名最好的园丁。

从此以后，园丁把房间里的鲜花布置得更加好看了。他每星期都要到各个房间里换两次供销鲜花。他使鲜花的颜色、形状互相巧妙配合，衬托得十分美丽迷人。连总喜欢挑毛病的主人也不得不对园丁说：“拉尔森，你很懂得盆景艺术。”

有一天，园丁拿着一个大水晶花盆子进来，里面浮着一片睡莲的叶子。叶子上有一朵蓝色花，它的梗子又粗又长浸在水里。

园丁的主人还以为是从遥远的印度带来的

印度莲花。

这一天，恰巧公主来到主人家里，也看到了这朵花，认为这非常美丽和名贵。主人懂得公主的心意，马上把它献给了公主。公主走后，主人又到花园里亲自去采摘 这种鲜花。可是他找了半天也没有找到。于是，他就把园丁喊来，问他这种花是从什么地方弄来的。

园丁说："老爷，这种花只不过是菜园里的一种普通的花！是朝鲜蓟开的一种花。"

主人说："天哪，你应该早一点告诉我，我还把它当作外国名花送给了最尊贵的公主。你在公主面前，拿我开了一个大玩笑！"

主人把园丁责骂了一顿之后，立刻到王宫里去见公主。他向公主表示道歉，说那朵花不过是一朵菜花，他已经狠狠地责骂了园丁。

公主说："你这样做是不对的。他叫我们大

开眼界看到了一朵从来没见过的鲜花，只要朝鲜蓟开花，国王的园丁每天就得送一朵到我的房间里来！”

这件事又让主人想不到。他说：“这真出乎意料！”

不过，他告诉园丁说，从现在起，每天都要送一朵朝鲜蓟到自己的房间里来。

男主人和女主人一齐称赞说：“这种花的确非常美丽，非常珍贵！”

秋天到了，风暴把花园里两棵古老的大树吹倒了。主人觉得很难过。园丁却很高兴。他很早就 向主人建议砍掉这两棵古树，他要利用这块地方。现在好了，园丁移来了一年四季青翠可爱的冬青树，前面种 上一排凤尾草，高处是牛蒡花，潮湿的低地上是叶子宽大的款冬。五六尺高的毛蕊花，开着一层一层的花朵，像一座有许多枝干的大烛台。这儿还有车叶草、罂草花、铃兰花、野水芋等等许多美丽可爱的花儿。它们真是美丽极啦！

在原来两根古树的地方，竖起了一根很高很高的旗杆，上面飘扬着丹麦国旗。旗杆的旁边还有另外一根杆子，它上面挂了一束燕麦，好使天空的鸟儿在圣诞节的日子里能够饱吃一顿。

新年的时候，一家画刊了这幢房子的图片。人们看到了那面国旗和那一串燕麦，对这幢房子的主人大加赞赏，说他们一定是最善良最美好的人。

主人听到这些赞赏非常高兴，他说："这是拉尔森的成绩，看来我们的运

气不坏，有了他，我们也感到骄傲。”但是，他们认为他们是主人，他们随时都可以解雇拉尔森！

会飞的木箱

从前有一个商人，生意做得很成功。他的银币多得可以铺满一条大街和一条小巷。不过，他是个不会满足的人，他每投资一分钱就要获得两角五分钱的利润，他要用钱去挣更多的钱。他是个了不起的商人，可惜，他死了，把钱财全留给了自己的儿子。

也许是父亲太能干了，儿子生活得分外轻松。他用债券和钞票做风筝，用银币或金块在河边打水圈玩，还天天晚上都去参加化妆舞会。钱来得容易也就花得特别快，总有用尽的一天。后来，他果然一无所有了，只剩一双拖鞋、一件睡衣和四个小钱了。

那些常和他一起吃喝玩乐的朋友都不来了，还躲着他，生怕他会开口借钱。只有一个朋友——他曾经慷慨地帮助过他，心地还善良，送给他一只旧木箱，说："装上你的东西，走吧！"可是他有什么东西可装呢？于是，他就自己坐了进去。

这可是一只有魔力的箱子，只要在锁上轻轻一按，它就会"呼"地一下飞起来，飞过烟囱，一直飞到高高的云层里。开始时，商人的儿子还有些害怕，怕箱底一下子掉了怎么办。飞了一会儿，他就放心了，这旧箱子看起来还挺结实呢！又飞了一会儿，他就高兴起来，高兴得在箱子里翻筋斗呢！

后来，他又轻轻地按了一下锁，木箱平稳

地着陆了。爬出箱子一看，他居然到了土耳其人的国土上了。

商人的儿子把木箱藏在树林里，上面又盖了些枯枝烂叶，然后就进城去了。他穿着睡衣逛街一点儿也不碍眼，因为土耳其的大多数人都和他一样，穿着睡衣、踏着拖鞋在街上走来走去。

他碰见一个抱着孩子的老妇人，就向她打招呼。“喂，土耳其的妈妈，”他指着一个高大的城堡问，“那个城堡好奇怪，窗户开得那么高，只有魔鬼才能爬得进去，那是干什么用的？”

“那是公主住的地方。”土耳其妈妈说，“公主已经长大了，到了选择未婚夫的年纪了。但是曾经有人预言，一个求爱者会给她带来很大的危险。因此，任何人都不允许与公主接近，除非国王和王后都在场。”

“我明白了。”商人的儿子给了土耳其妈妈一个小钱，就转身回到树林里，坐在他的箱子上面，飞到了城堡的屋顶，从公主卧室的窗户钻了进去。

公主正躺在一张沙发上睡觉，模样儿十分美丽。商人的儿子注视着她，情不自禁地弯下腰，亲吻她的前额。

公主惊醒了，害怕地问他是什么人，怎么进来的。商人的儿子微微笑着，说自己是土耳其的神，来自神秘的天空。他在公主的身边坐了下来，公主并没有躲开。他编造了很多神的故事给公主听，还赞美公主的眼睛，说公主的眼睛像清澈的湖水，聪明的思

想如同美人鱼一样游来游去；他还赞美公主的前额，说它像一座晶莹的雪山，隐藏着许多精致的房子，挂着一些最美丽的图画；他还称赞她的嘴唇，说那是世界上最红润的宝石，充满着人类最可宝贵的爱情……

他的话确实非常动听，因此，当他向公主求婚的时候，公主立刻答应了，并感到这婚约非常的神圣。

“我同意嫁给你，这是上帝的意志。不过，”公主接着说，“星期六的上午，国王和王后会到这里来喝茶，你得见见他们。我想，有个土耳其神做我的丈夫，他们一定会非常赞成，并引以为荣。我的父母都喜欢听故事，父亲国事繁忙，闲暇时爱听轻松热闹的；母亲是个聪明的女人，喜欢那种寓意深刻的高雅故事。你要准备一个真正的好故事，让国王和王后听了都感到开

心。”

“妙极了，我带给新娘的礼物就是一个好听的故事！”

商人的儿子很满意自己今天的表现，他觉得应该告辞了。公主送给他一把镶满金块的短刀，这才恋恋不舍地与他分手了。

这把短刀正是他所需要的。他撬下了刀柄上的一点儿金块，买了一件新的睡衣，然后就斜躺在大树干上编起故事来。讲故事容易，但要编出一个既轻松愉快，又思想深刻的故事来，就不那么简单了。不过，他终于把故事准备好了。

星期六上午，他精神焕发地来到了公主的城堡，国王和王后，以及几位重要的大臣都已经到了，正在等他呢。他受到了极其隆重的接待。

“现在，你愿意讲个故事给我们听吗？”聪明的王后说，“讲一个既深刻又轻松的故事吧！”

“还得幽默有趣，最好能让我笑出声来。”国王说。

“放心吧，我会的。”商人的儿子自信地说。

以下是他讲的故事。

从前，有一捆干柴火，它们自认为出身非常高贵。因为它们的祖宗——一棵大枞树，曾经是那片树林里最大也最老的树。而它们呢？它们每一根干柴火，都是枞树身上的一块碎片。

现在呢？这捆柴躺在厨房里的打火匣子和旧铁罐之间。它们互相谈起了年轻时候的那些事。

“当时我们住得很高，离天空最近。”柴火说，“每天早晨和夜晚，我们都有珍珠茶喝，也就是露珠啊。太阳一出来，首先照耀在我们身上，我们用不完的阳光，才会给那些小树和花儿、草儿。小鸟也很喜欢我们，常来为我们唱歌、讲故事。我们很富有，所以一年四季我们都穿着绿衣服，而其他的树们，只有夏天才有宽大的衣服穿。”

“后来，发生了一场变革，彻底改变了我们在地球上的位置。那是由伐木工人引起的，他分裂了我们的大家庭。我们的家长在一艘巨大的船上当了主桅杆，那条船可以走遍全世界。至于其他树枝干什么去了，我不太知道，可我们呢？却只能为一些普通的人点燃炉灶。”

“我的经历和你们的一点儿也不同。”柴火旁边的铁罐子说，“我一出生就很完整，我也是第一个来到这所房子里的。我给人们煮过很多水和食物，也被使劲地擦过很多次，可是我依然结实可靠，瞧，我的身板还是厚墩墩的。我最大

的乐趣就是吃罢饭后干干净净地洗个澡，然后和朋友们很高兴地闲聊。我们谈的经常是当天的新闻，那是每天早上都去市场的篮子带回来的，我们议论政府和人民，指出一些不合理的事情。前几天主人带回一只老旧的铁罐，听到我们的话，竟吓得从架子上摔到地下，跌成了碎片。不过实话说，菜篮子讲话真是不太注意。”

“说那么多话干吗？开开心心地玩玩多好嘛！”打火匣子一面说话，一面迸出一连串的火花。

“让我们比较一下谁的出身最高贵。”干柴火念念不忘它的出身。

“不，我不喜欢总是谈自己。”铁罐说，“还是谈谈自己经历过的有趣的事吧。在波罗地海边……”

“我们喜欢听故事，讲下去！”盘子们也来

凑热闹。

“在一个安静的家庭里我生活了五年。”铁罐说，“那里的家具都得打蜡，厨房每天擦三次，地板每两天拖洗一遍，窗帘半个月就得换一次……”

“这是一个女人在讲故事，充满了肥皂的味道，不过你描述的确实有趣。”鸡毛掸子也插话了。

“是的，是的，这个女人爱清洁。”水罐也说话了，他一高兴就跳，把水洒了一地。水罐也开始讲故事，讲得挺有趣。

盘子们乐得叮当响，鸡毛掸子找来一根芹菜，编织成一个花环戴在水罐的头上。他知道他的讨好行为会令别人忌妒，但水罐会高兴，说不定水罐明天也会为他戴上花环呢！

“我要跳舞啦！”火钳不甘寂寞，翘着一条

腿就旋转起来。就连破椅子上的旧椅套也不再打瞌睡了，睁开双眼看热闹。

“一群乌合之众。”柴火心里想，但没敢说出声。

盘子们鼓动着铁罐唱歌，可它推说感冒了，唱不好，除非它是在沸腾。其实这话不是真的，它只愿唱给主人听，高高地站在厨房的炉子上唱。

窗台上有只墨水瓶，瓶里插着一只鹅毛笔，那是女佣人记账时用的，笔尖都快磨秃了。可是它很骄傲，觉得十分与众不同，因为它有文化啊！这时它开口了：“铁罐既然不愿唱，我们何必强求呢？窗外的鸟笼里有一只夜莺，虽然没有受过教育，可也唱得蛮好嘛！”

“我反对！”铁罐最不喜欢鹅毛笔的阴阳怪气了，马上大声地说，“尽管我们唱得不好，但我们是爱国的嘛！我们为什么要聆听一个外国鸟歌唱呢？菜篮子，你来评价一下。”

“真烦！”菜篮子说，“这算什么事，大事情都考虑不过来呢！算啦、算啦，你们都各归各位，让我来重新布置一个游戏吧！”

“对啊、对啊，让我们来欢乐一下吧！”大家都很赞成。

正在这时候，厨房的门“吱”地一声开了，女佣人走了进来，大家立即闭紧了嘴，谁也不敢再出声了。可心里是怎么想的，谁知道呢！

女佣人拿起了那把干柴火，点起了一把火，厨房顿时变得明亮起来。柴火想：“我们才是这里头等重要的人物，看，我们的光环多美丽啊！”柴火越烧越旺，全身都在放光，最后，变成了一堆灰。

“嗯，故事讲得很出色，我仿佛也在厨房，和

柴火在一起。"王后说,"年轻人,我同意你做我们的女婿啦!"

"当然可以。"国王笑着拍了拍商人儿子的肩膀,"下个星期一就为你们举行婚礼。"

为了庆祝星期一的婚礼,星期天晚上全城就欢腾起来了。国王派人大发饼干和糖果,还发了数不清的彩灯笼,要各家各户全都张灯结彩。

商人的儿子十分得意,做国王的女婿可比做一个商人荣耀得多。商人有钱,可他有地位,将来说不定还会有王位哩!

他也想为自己庆祝庆祝,于是买了很多很多的烟花爆竹,把短刀上的金块差不多全都撬完了。

他把烟花和爆竹放进箱子里,然后坐在箱子上,向空中飞去。

他飞得很高，向下抛撒着烟花。这样壮观的场面谁也没见过，全城的人都在欢呼跳跃，他们不仅听说了，而且亲眼看到了要和公主结婚的土耳其人的神。

商人的儿子很想亲耳听听大家对自己的评价，因此，不等烟花和爆竹抛空，便又飞回来听“空中奇观”的反映。

有人说：“我看见土耳其神了，他披着大红袍，衣褶里有许多美丽的天使……”

有人说：“我看得可清楚啦，土耳其神的眼睛比星星还明亮，胡须就像是白色的海浪……”

所有评价都十分美妙，就连他自己也想不出那么多的赞美之辞。

他满意地回到树林，想钻进箱子好好睡一觉，明天，他就要做新郎喽！

可是箱子哪去了？

地上只有一堆灰烬。原来空中落下了一颗烟花的火星，点燃了木箱。商人的儿子再也飞不到城堡上，飞不到他的新娘身边了。

公主在城堡的屋顶上等他，等了整整一天、一个月、一年，直到现在还等着他呢！可商人的儿子呢，只好四处漂泊。他什么也不会做，只会讲述童话故事。他口袋里的钱呢，从来就没有超过四个。

母亲与死神

一位母亲坐在孩子的摇篮边，神色忧郁地注视着她的小儿子。孩子脸色苍白，双眼紧闭，一动也不动地躺着，偶尔能听见他长长地喘一口气。

有人敲门，母亲把门打开，进来了一个穿着破披风的老头。这是一个寒冷的冬天，北风呼呼地刮着，他面覆盖着冰雪，在这样恶劣的天气里，没有人会拒绝接待一位孤独的老人。母亲请老人坐下，又为他倒了一杯啤酒，然后，仍旧坐在孩子的摇篮边，还轻轻地握住了孩子的一只小手。“上帝是不会让我失去他的，是不是？”母亲像是在问老头，也像是在对自己说话。

那个老头迟疑地点了点头。母亲将头埋在

孩子的摇篮边，泪水浸湿了洁净的床单。有那么一刻，她好像是睡着了，她已经三天三夜没合眼了。可突然又惊醒过来，急切地去抓孩子的小手。但是孩子不见了，那个老头也不见了，是他把他带走了！墙上陈旧的挂钟一改往日的迟缓，急速地转动起来，又“扑通”一声落在地上，再也不动了。

母亲紧张得全身颤抖，大声呼喊着孩子的名字，冲进门外，冲进纷纷扬扬的大雪之中。“我的孩子？我的孩子？”“死神带走了他。死神刚才就在你的屋里呢。”

听到这回答声，母亲才注意到门外的台阶上坐着一个穿着衣服的女人。“请告诉我，他向哪里走了，我要去找他！”“他跑得比风还快，他拿过的东西，是永远不会送回来的。”“求求您，请告诉我方向，求求您！”“唉，”穿黑衣服的女人叹息了一声后说，“在告诉你之前，我也有个要求，你得把你对孩子唱的歌都给我唱一遍。我是夜夫人，我喜欢听那些歌。我早就注意到，你唱的时候会流出眼泪来。”“我答应您，我全都唱给您听。”母亲焦急地说，“但是我必须马上追赶死神，我得把我的孩子抱回来。”

夜夫人沉下脸，不再说话了。母亲毫无办法，只好唱起歌来。她流了很多眼泪，歌声比以往任何时候更加凄婉动听。夜夫人终于又开口说话了。“你向右边的树林走，我看见死神抱着你的孩子向那边去了。”

母亲在树林里急匆匆地走着、跑着，前方发现了另一条叉路，她不知道该走哪条路才对。叉路口有一丛丛灌木，光秃秃地长满了尖刺，枝条上挂着冰凌。“你看见死神带着我的孩子从哪条路走了吗?”母亲急切地问灌木。“看见了。”一株刺梅说，“但我冰得快要死了，你得用你的怀抱暖暖我，否则我就不告诉你。”母亲解开衣服，将刺梅暖在胸前。刺扎进她的肉里，血染红了刺梅的枝条。刺梅绽出了新叶，开出了小小的红花。顺着刺梅指引的道路，母亲追到了一个湖边。

湖很大、很深，湖面既没结冰，也没有船只。母亲急得无法可想，就伏在地上喝水，她要把湖水喝干，她希望奇迹出现。

“别这样，这是绝对不可能的。”湖神说，“让我们谈谈条件吧。我喜欢收集珍珠，

但还缺少又大又晶莹的黑珍珠。你的眼珠很明亮，我想那是泪水浸润的结果。如果你愿意把眼珠哭出来，并且同意送给我的话，我就送你到湖的对岸，死神的温室就在那边。”“只要能够找回我的孩子，你要什么东西我都同意给。”母亲想着自己的孩子，哭得很伤心，哭得无法抑制，终于把眼珠哭出来了，掉进了湖水里。湖神托起母亲瘦弱的身体，一摇一晃地把她送到了湖的对岸。湖对岸有一个奇怪的大房子，足足有十里宽、十里长。但怎么看上去却不像房子，倒像是一座稀奇古怪的大山，布满了山洞，覆盖着树木。

当然，母亲是看不到这些的，她的眼珠哭掉了，她已经瞎了。“我该去哪儿找死神呢？我的孩子在哪儿呢？”可怜的母亲四处摸索着。“死神还没有回来。你怎么会到这里，是谁帮助了你?”一个老妇人的声音问道。“是仁慈的上帝帮助了我。您是谁?您也会帮我的,对吗?”“我帮死神看守这幢房子。”老妇人说,“但是我不认识你的孩子。这里有很多的花朵和树木,那是一个个人的生命。今天有很多花和树木都枯萎了,死神回来后会把它们移走,那就标志着这些生命结束了。“你的眼睛看不见,对不对?那么,让我来告诉你,这里的树和花与其他地方的树和花看起来没有什么不同,但是它们都有心跳,即使是标志着一个婴儿生命的小花,也会有心跳声。

“如果你能辨别出你的孩子的心跳,那么你就找到了你的孩子,乘死神还没有回来的时候,你可以在这温室里找一找。不过先别忙。如果你找到了自己的孩子,然后我再告诉你应该怎么做的话,那么你会拿什么感谢我呢?”

“我已经一无所有了，”可怜的母亲说，“可是，我会永远感谢您，铭记您的恩情。”“那不是我所需要的。”老妇人说，“如果您同意的话，可以用你又黑又长的头发做交换。其实你也知道，你的头发很秀丽，就把它给我吧！我把我的白发给你，这样总比没头发强些吧！”老妇人说。“您只要头发吗？我非常乐意。”

于是，母亲将那乌亮的长发给了老妇人，换回了一头雪一样的白发。老妇人带着母亲一起走进了死神的温室，还不断给母亲介绍着温室里的情况。温室里的植物一棵挨着一棵，又粗又壮的松树应该是壮年男子的生命，盆子里的水生植物应该是少女的生命。

不过，这里的植物有的健康茁壮，有的病病秧秧。那些生了病的植物，不是被毒蛇缠身，就是被虫子蛀了根。

可怜的母亲趴在地上，抚摩着一棵棵的小树，一株株的嫩花，仔细倾听着它们心跳的声音，终于从几百万棵树和几百万株小花中，辨认出了自己的孩子的心跳声。“没错了，就是它，就是它！”母亲大声地喊着，伸出颤抖的双手围拢着它。那是一株小小的兰花，花朵已经垂下了头。“小心点儿，别碰它。”那个老妇人说，“现在让我告诉你下一步应该怎么办。你就待在这儿别动，当死神要拔掉这株花时，你就威胁他说，你会把这里所有的植物全拔掉。他会害怕的，因为他得看管好这些植物，他得听上帝的话。没有上帝的许可，任何人都不能拔掉它们。”

这时，一阵阴冷的寒风刮了过来，不用老妇人提醒母亲也明白，是死神回来了。“你怎么找到这里来了？竟然比我还跑得快！”死神说。

“因为我是孩子的母亲。”她说，已经镇定了很多。

死神不再说话，手伸向了那小小的兰花。母亲感觉到了那死亡的气息，因此用双手紧紧护着它，哪怕是一片叶子也不让死神碰到。死神仍然不说话，开始向母亲的手上吹气，死神的气息阴森冰冷，母亲的手都快冻僵了。

也许是怕冻坏了小小的兰花，母亲终于松开了手。“没有人能和我作对。”死神冷笑着说。“上帝办得到！”母亲说。“我是在按上帝的意志办事啊！”死神说，“我把这些枯萎的树木、花草拔起来，送到天堂的花园里。至于它们在那里会怎么样，不由我负责，我也不敢告诉你。”“把我的孩子还给我，求求您！”母亲又是哭喊，又是祈求。

突然，她一把抓住了身边的两株花，尖厉地喊道：“您要是不还给我的孩子，我就把您的花

全拔掉！您是知道的，一个绝望的母亲是什么事都做得出的！”“冷静点，您千万不能这样。”死神慌忙劝阻她，“人世间有很多很多的母亲，您已经很痛苦了，您不会让更多的母亲和您一样痛苦吧？”“更多的母亲？”她轻轻地重复着。“这是您的眼球，多么明亮啊！”死神说，我从大湖上经过，看到了它，就向湖神要了回来。人的一切都是上帝赋予的，不该被其他神灵占有。还给您吧。

“今后，您的眼睛会更加明亮。现在您已经能够看清楚了，那么请您过来，这边有口井，您往井里看看。我会轻轻念着两朵花的名字，您会看到他们将来的命运。”母亲低头往井里看，看到了两个少年。一个少年生气勃勃，幸福、欢乐；另一个少年瘦弱、悲痛，头上笼罩着惨淡的乌云。两个少年的面孔却都看不清楚。“这全是上帝的安排。"死神说,"我可以告诉您,这其中有一个是您的孩子,您看到的是他的命运,他的未来。"

可怜的母亲大声哭泣着,请求死神告诉她,哪一个是她的孩子。死神说他不能讲。"救救我的孩子吧,千万别让他遭受苦难。忘掉我的痛苦,忘掉我的眼泪,把他带到上帝那里去吧!"她继续哭喊着说。"我有点儿不明白,"死神说,"您到底是想要回孩子呢,还是让我把他带到天堂的花园里去呢?""哦,上帝啊,帮帮我吧!"母亲跪在地上,绝望地呼号,"您的意志最神圣,我愿用我的痛苦,换取孩子永久的幸福!"母亲低头祈祷着,死神把她的孩子带走了,带到了一个无人知晓的地方。

雪人与看家狗

“我身体里发出清脆的响声，天气冷得可爱极啦!”这时立在院子里的雪人说，“风也吹得很厉害。请看呀，天上有一个发亮的东西，它在久久地盯着我。”“一个发亮的东西”这指的正是太阳。雪人说：“它要叫我眨眼睛是不可能的。我也要久久地盯着它。”

雪人是院子里的一群男孩子垒起来的，他们在雪橇的铃声和鞭子的响声中欢呼雪人的出现。雪人的眼睛是用两块瓦片做的，嘴巴是

用旧犁耙做的，看起来还挺有精神。

太阳慢慢地下山了，一轮明月又升了上来。月亮在蓝色的夜空中显得又圆又大，十分好看。“看呀，那个发亮的东西又从另一边升上来了。”雪人高声喊着。雪人以为太阳又返回来了，所以接着说道：“它有一点光亮还不错，就让它待在上边吧，我是能够看见的。我真想走到那个湖上，像那群男孩子们一样滑冰，那多快乐啊。不过我不知道怎样才能走动。”

“汪！汪汪！”一只被主人拴在狗窝里的狗叫着。这条狗是住在屋子里边的，但它总是躺在火炉边上，所以从那以后，主人再也不准它进屋子里边。“太阳会教你怎样走的！我看见去年和前年的雪人就是这样走的。汪！汪！”狗躺在那里慢慢地说着。

“嗨！你这是什么意思？”雪人奇怪地对狗说，

"上面那个圆圆的东西怎么能教我走动呢?"雪人所说的"圆圆的东西"指的是天上的月亮。"我仔细看过了,我看到它在走动,它从这边落下去,又从那边升上来了。""你什么也不懂!"看家狗说,"你是男孩子们做起来的。我告诉你,上面那个圆圆的东西叫月亮,刚才落下去的那个东西叫太阳,它明天就会升上来的。我的后左腿又在隐隐作痛,这说明天气要变了。明天,那个太阳就会教你怎样走到墙边的那条沟里去。""我不懂你的意思。"雪人心里想,"不过我有一种感觉,刚才盯着我看,后来又落下去的发热的那个东西,也就是你说的太阳绝不是我的朋友。它虽然没有给我造成什么伤害,但我已经有这种感觉啦。"

天慢慢地亮了,一层浓雾笼罩着大地。看来天气真的开始变了,一阵冷风吹来,寒霜就跟在后面，天气更加寒冷。太阳升起来了。在阳光的照耀下，景色显得更加美丽，远处的树林在白霜的覆盖下好像一座白珊瑚林，每棵树木和每丛灌木似乎都开满了晶莹的花。

夏天，你是看不到这些树木枝条所形成的这种独特的图案的，而现在它们好像一幅幅闪闪发亮的刺绣，格外生动、耀眼。寒风吹来，太阳似乎在树木和灌木丛上摇晃。

太阳在天空升得更高了。阳光像万道银线撒向大地，天空更加闪耀。大雪铺满山野和大地，像一颗颗钻石发出点点银色的光芒。"这种景象真是美丽呀！"一对年轻男女在一起散步时不由地说，"夏天是看不到这样美丽的景色的。"姑娘说着，眼里就闪烁出喜悦的光彩。他们一边说一边走着，来到了雪人身旁。"在夏天你也看不到这样一位漂亮的小伙子。"年轻的男

子指着那个雪人说。

年轻姑娘大笑起来，她兴奋地向雪人点点头，然后就拉着那位小伙子的手蹦蹦跳跳地向远处走去，雪在他们的脚下发出“咯咯”的响声，就像是在麦粒上走路似的。“他们是谁呀？”雪人向看家狗问道，“你在这座院子住得很久，你应该认识他们吧？”“当然认识啦！”看家狗自豪地说，“她曾经抚摸过我，而且给过我一根骨头吃，我是从来不咬这两个人的。”“他们为什么要手拉手走路呢？我从未见过那样走路的小伙子。”“那是因为他们已经订婚了。”看家狗接着说，“他们在不久的将来，就会搬到一间屋子里居住，共同分享一根骨头啦！”“他们和你我一样重要吗？”雪人又问道。

“是的，他们属于这屋子里的，是我们的主人！”看家狗说，“你昨天才垒起来，知道的事情肯定不多，而我一眼就看出来了。我虽然有些年纪了，但知道的事情很多，因为我知识渊博。有一个时期我不是被绳子拴着，是在寒风中站着的。汪！汪！汪！”雪人又说：“我喜欢寒冷。你说说你年轻时的事吧，不过请你不要把绳子弄得太响，我觉得那种声音像要使自己裂开似的。”“汪！汪！汪！”看家狗叫着，“我曾经是很好看的。‘瞧！那个漂亮的小家伙！’人们经常这样赞美我。

“那时候，我经常躺在天鹅绒的椅子上，或者坐在女主人的腿上。女主人用漂亮的手帕擦我的脚掌，有时还亲吻我的鼻子，亲切地叫我小宝贝。后来，我长大了，就不能坐在女主人的腿上了。女主人把我交给了管家。他们在地下室里给我安排了一间屋子，我成了那间屋子的主人，你站在那里可以看得到的那间。

“我住在那里也很舒服,有自己的食物,有自己的垫枕,管家还是像以前那样对我好。也有不同的地方,就是楼上那些孩子,他们总是对你又抓又抱,好像你不会走路似的,经常抱着你到处乱跑。真使你不高兴呀!天气冷的时候,那儿还有火炉,冬天没有地方比那儿好啦,我就趴在炉子下边,好暖和呀,我经常梦想那个火炉子下边,尽管我在那儿待的日子已经不短了……汪!汪汪!”

“什么炉子,它是个好看的东西吗?”雪人问,“它是不是像我一样?”“这根本不对,它刚刚与你相反,它黑得像煤炭一样。炉子有一个

长长的脖子，和一个圆圆的黄铜大肚子。它嘴里吃进木柴，从上边喷出火来。你最好躺在它的旁边，或者躺在它的下边，那是最舒服的事。你现在一定能从你站着的地方透过窗口看见它，你试试看。”

雪人按照看家狗说的方向看去，果然看到了那个炉子：一个圆圆的大肚子，黑黑的东西正站在那里，旁边有一个小门，门上边还有一个小窗口。雪人看见火炉中透出来的光亮，产生出一种说不出来的感觉，一种从来没体验过的感觉，也就是所有人能体会出来，而惟有雪人不了解的感觉。“你为什么又要离开她呢？”雪人觉得这炉子一定是女性，所以接着说道，“你为什么要忍心离开这样一个可爱的地方呢？”“哎，你不知道，我是被迫离开的。”看家狗说，“我是被他们扔出来的，他们在我脖子上拴了

一根绳子，放到这儿的。我只是咬过楼上的那个小主人。

“有一次我正在啃骨头，他走过来踢了我一脚。我就咬了他一口，骨头挨骨头嘛！而男女主人就把一切责任都推到了我的头上。从那以后，我就被一根绳子套在这里，潮湿的地方使我的嗓子变得又沙又哑，再也没有响亮的声音了。汪！汪汪！故事讲完了！”

其实，雪人早已不听看家狗说的话了，他朝管家住的那个地下室望去，看着那个有着四条腿，跟雪人差不多一样高的火炉，“她确实与我一样高。”雪人想。“我身上有一种痒痒的奇怪感觉！”雪人产生了一种天真的愿望，“要是我能到地下室跟她待在一起多好啊。这是我最大的、最真挚的愿望，也是我惟一的愿望。如果这样一个愿望也不能实现，那这个世道就太不公平了！我要到那儿去，就是把窗户打破，我也要进去的！”“你一定不能到那儿去！”看家狗说，“假如你走近火炉，那么你就一定完了，汪！汪汪！”“我已经快完了。”雪人说，“我现在觉得就要裂成两半啦！”

一整天，雪人都在注视着窗子里的事。黄昏到来了，房子里更显得特别温馨。炉子里的火在燃烧着，它既不像太阳，也不像月亮。每当炉门被打开，放进一些木柴，炉子就会长起一阵明亮的火光，这火光透过窗户映照在雪人的身上。“只有火炉才会产生出这样的光。”雪人想。“我受不了啦！”雪人说，

"每当她发出那种光亮时,她是多么美丽呀!"

夜已经很深了,但对于雪人来说,他一点也不觉得长。他站在雪地里,陶醉在一种美丽的幻想之中。天气还是那样冷,冷得使雪人产生出来刺痛的感觉。

早晨,寒冷的天气让地下室的玻璃窗结了一层厚厚的冰,那玻璃上的冰花特别好看。但雪人却并不喜欢这样的景色,因为结了冰花的窗户把火炉给遮挡住了。天气太冷,窗玻璃上的冰花怎么也融化不掉,不仅如此,院里抽水筒上的流水也结成了一根冰柱。

其实,这正是雪人所需要的天气,但是他恰恰不欣赏这样的天气。在这样的天气里,他本应该感到幸福,他则觉得万分痛苦。他害了"火炉相思病"呢!"对于一个雪人来说,这种病是最可怕的。"那只看家狗无奈地说,"我自己就曾经吃过这种苦头，还好，现在我已经渡过了难关……汪！汪汪！我有一种感觉，天气很快就要变了！”确实，天气变了，变得暖和起来。随着气候的变化，雪人一天天变小了。雪人整天沉默不语，这说明他得的相思病已经到了很严重的地步。

有一天，雪人突然倒下去了。他的头掉下去了，在他站立的地方，只有一根像扫帚把的东西插在地上，那是孩子们垒雪人时，为了支撑雪人直立而使用的棍子。“我终于搞懂了雪人得相思病的原因。”看家狗说，“因为雪人的身体里有一个火钩，现在他可算是渡过难关啦！汪！汪汪！”

转眼冬天过去，小姑娘们高兴地唱起歌来：盛开吧，美丽的白头翁，你洁白而纯净，吐芽吧，摇摆的杨柳枝，你轻柔而美丽；来啊，百灵

鸟和杜鹃在唱歌,跳啊,我们将拥抱百花盛开的春天。

在这样的季节里,谁也不会再想起那个雪人了。

舞吧,舞吧,我的玩偶

有一个三岁的小女孩,她的名字叫爱美莉。她有三个小木偶,他们总是蹦蹦跳跳,十分活泼可爱。

爱美莉跟她的小玩偶们在一起可开心啦。有一个大哥哥给爱美莉教了一支古老的歌儿。歌儿的名字叫“舞吧,舞吧,我的玩偶”。她们就一边跳舞,一边唱着这支歌儿。

舞吧,舞吧,我的小玩偶,

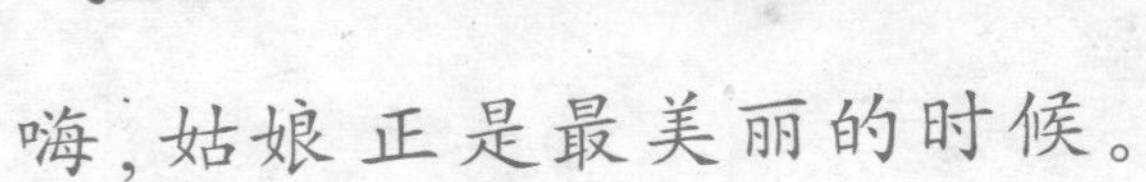

嗨，姑娘 正是最美丽的时候。

小伙子挺胸又抬头，顶着黑礼帽，戴着白手套，穿了一件蓝色的小短袄，大脚趾上长着一个鸡皮肤包，嗨，你说可笑不可笑。

嗨，姑娘 正是最美丽的时候，

舞吧，舞吧，我的小玩偶，

这支歌儿人人都知道，人人都爱唱。不过小爱美莉的一位玛勒姑妈不喜欢唱。现在她是一个有身份的庄 重的妇女。她不去参加什么跳舞的集会，也不去听什么跳舞的音乐。

玛勒姑妈喜欢呆在家里，坐在椅子上，她的脸上因为常 常见不到阳光，变得又冰冷又苍白。她的身体也变得越来越硬。

玛勒姑妈说："什么叫作'舞吧，舞吧，我的小玩偶，'？那是小孩子们随便胡编出来的歌儿，我怎么能喜欢这种歌呢？"

她的头发换成了银丝，身体硬成了一块床板，她说起话来都是硬邦邦的。小爱美莉很着急，就对她的三个小木偶说："来吧，咱们舞吧，舞吧，我的小玩偶！"

可是玛勒姑妈已经没有力气听这支歌了，她想说什么话也说不出来了，她死啦。